상위권으 ... 연산 학습지

응용연산

P1
7~8세

50까지의 수에서 더하기, 빼기 1과 10

Creative to Math
씨투엠

응용연산 : 상위권으로 가는 문제해결 연산 학습지

요즘 아이들은 초등학교 입학 전에 연산 문제집 한 권 정도는 풀어본 경험이 있습니다. 어릴 때부터 연산 문제를 많이 풀었기 때문에 아이들은 아직 학교에서 배우지 않은 계산 문제를 술술 풀어서 부모님들을 흐뭇하게 만들기도 합니다. 그런데 아이들의 연산 능력은 날로 높아지지만 수학 실력은 과거에 비해 그다지 늘지 않은 것 같습니다. 사실 진짜 수학 실력은 연산 문제나 사고력 수학 문제를 주로 푸는 초등 저학년 때는 잘 드러나지 않습니다. 응용 문제를 본격적으로 풀기 시작하는 초등 3, 4학년이 되어서야 아이의 수학 실력을 판별할 수 있습니다.

초등 수학에서 연산이 가장 중요한 것은 부정할 수 없는 사실입니다. 중학생, 고등학생이 되어서 부족한 연산 능력을 키우는 것은 거의 불가능합니다. 이러한 연산의 특수성 때문에 아이들은 어린 나이부터 연산을 반복적으로 연습하여 실력을 키우려고 합니다. 이렇게 열심히 연산을 공부하는데도 왜 어떤 아이들은 수학 문제를 잘 풀지 못하는 것일까요? 그 이유는 현재 연산 학습의 목적이 단지 '계산을 잘 하는 것'이 되어버렸기 때문입니다. 연산은 연산 자체가 목적이 될 수 없으며 수학의 진짜 목표인 **문제를 잘 풀기 위한 수단으로 연산을 학습**해야 합니다.

과거 초등 수학 교과서의 연산 단원은 ① 원리와 연습 ② 문장제 활용의 단순한 구성이었습니다만 요즘의 교과서는 많이 달라졌습니다. 원리와 연습은 그대로이거나 조금 줄었지만 연산을 응용하는 방식은 좀 더 다양해졌습니다. 계산 능력의 향상만을 꾀하는 것이 아니라 **여러 가지 퍼즐이나 수학적 상황 등을 해결할 수 있는 '응용력'에 초점을 맞추고 있다**는 것을 보여주는 변화입니다. 따라서 저희는 연산 학습지도 원리나 연습 위주에서 벗어나 **실제 문제를 해결할 수 있는 능력에 포인트를 맞추어야 한다**고 생각합니다.

'연산은 잘 하는데 수학 문제는 왜 못 풀까요?'에 대한 대답이자 대안으로 저희는 「응용연산」이라는 새로운 컨셉의 연산 학습지를 만들었습니다. 연산 원리를 이해하고 연습하는 것에 그치지 않고, 익힌 것을 활용하는 방법을 바로 보여줄 수 있어야 아이들이 수학 문제에 연산을 효과적으로 적용할 수 있습니다. 연습은 꼭 필요한 만큼만 하고, 더 중요한 응용 문제에 바로 **도전함으로써 연산과 문제 해결이 단절되지 않게** 하는 것이 「응용연산」에서 기대하는 가장 큰 목표입니다.

「응용연산」을 통해 아이들이 왜 연산을 해야 하는지 스스로 느낄 수 있을 것이라 자신합니다. 이제 연산은 '원리'나 '연습'이 아닌 스스로 문제를 해결할 수 있는 '응용력'입니다.

응용연산의 구성과 특징

· 매일 부담없이 4쪽씩 연산 학습
· 매주 4일간 단계별 연산 학습과 응용 문제를 통한 연산 실력 확인
· 매주 1일 형성평가로 테스트 및 복습

주차별 구성

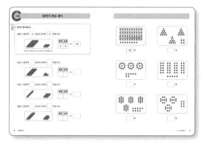

원리연산
대표 문제를 통해 학습하는 매일 새로운
단계별 연산 학습

응용연산
기본 문제와 응용 문제를 통한 응용력과
문제해결력 증진

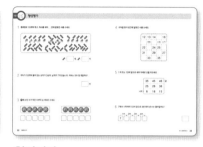

형성평가
가장 중요한 유형을 다시 한번 복습하며
주차 학습 마무리

1주차	1일	2일	3일	4일	5일
	6쪽 ~ 9쪽	10쪽 ~ 13쪽	14쪽 ~ 17쪽	18쪽 ~21쪽	22쪽 ~ 24쪽

2주차	1일	2일	3일	4일	5일
	26쪽 ~ 29쪽	30쪽 ~ 33쪽	34쪽 ~ 37쪽	38쪽 ~41쪽	42쪽 ~ 44쪽

3주차	1일	2일	3일	4일	5일
	46쪽 ~ 49쪽	50쪽 ~ 53쪽	54쪽 ~ 57쪽	58쪽 ~61쪽	62쪽 ~ 64쪽

4주차	1일	2일	3일	4일	5일
	66쪽 ~ 69쪽	70쪽 ~ 73쪽	74쪽 ~ 77쪽	78쪽 ~81쪽	82쪽 ~ 84쪽

정답 및 해설

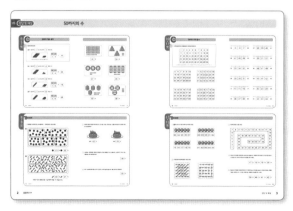

문제와 답을 한눈에 볼 수 있습니다.

이 책의 차례

1주차

50까지의 수

50까지의 수 세기, 순서, 크기 비교

50까지 개수 세기

 개념 원리

몇인지 세어 봅시다.

46은 **10**개씩 [4] 묶음과 낱개가 [6] 개입니다.

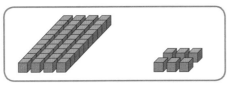

묶음	낱개
4	6

➡ 46

10개씩 4묶음과 낱개가 6개이면 46개입니다.

34는 **10**개씩 [ ] 묶음과 낱개가 [ ] 개입니다.

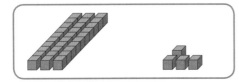

묶음	낱개

➡ [ ]

19는 **10**개씩 [ ] 묶음과 낱개가 [ ] 개입니다.

묶음	낱개

➡ [ ]

28은 **10**개씩 [ ] 묶음과 낱개가 [ ] 개입니다.

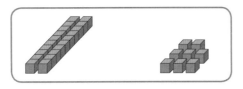

묶음	낱개

➡ [ ]

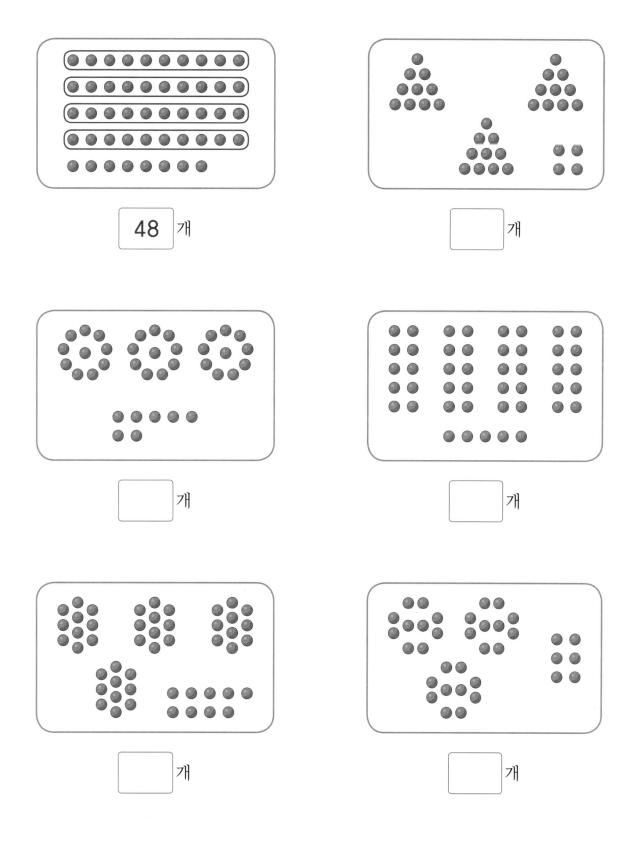

48 개

개

개

개

개

1 종류별로 **10개씩** 묶고, 개수를 세어 ☐ 안에 알맞은 수를 쓰세요.

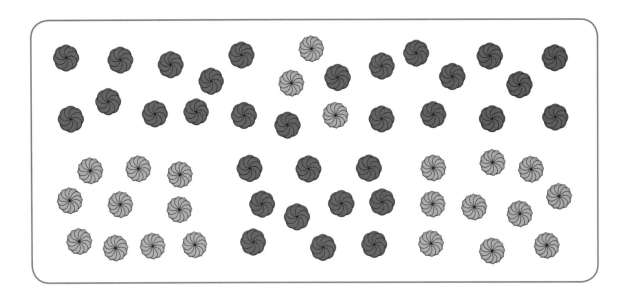

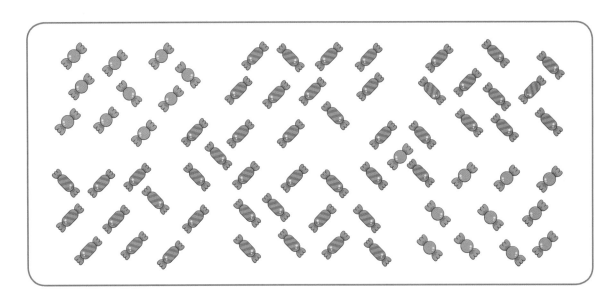

2 엄마와 이모의 생일 케이크입니다. 큰 초는 **10**살, 작은 초는 **1**살을 나타냅니다. 엄마와 이모
는 몇 살일까요?

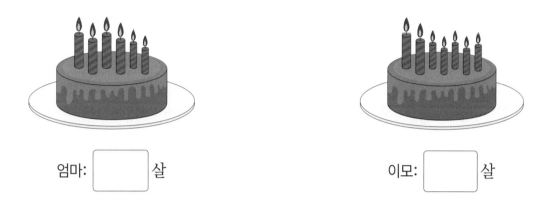

엄마: ☐ 살   이모: ☐ 살

3 소영이는 색종이를 **10**장씩 **3**묶음과 낱개로 **6**장을 가지고 있습니다. 소영이가 가지고 있는
색종이는 모두 몇 장일까요?

☐ 장

4 배가 **10**개씩 들어 있는 상자가 **2**상자, 낱개가 **8**개 있습니다. 배는 모두 몇 개일까요?

 개

50까지 수의 순서

개념
원리

1부터 50까지의 수 배열표입니다. 빈칸을 채워 봅시다.

1	2	3	4	5	6	7	8	9	10
11	12	13	14	15	16	17	18	19	20
21	22	23	24	25	26	27	28	29	30
31	32	33	34	35	36	37	38	39	40
41	42	43	44	45	46	47	48	49	50

오른쪽으로 갈수록 일의 자리 숫자가 1씩 커지고 아래쪽으로 갈수록 십의 자리 숫자가 1씩 커집니다.

	6		8		
15		17		19	20
	26		28		
	36				

11		13	14		
	22				26
31			34		
		43		45	

13			16		
23		25		27	28
	34		36		
		45			

		16		18	
	25		27		29
34			37		
		46		48	

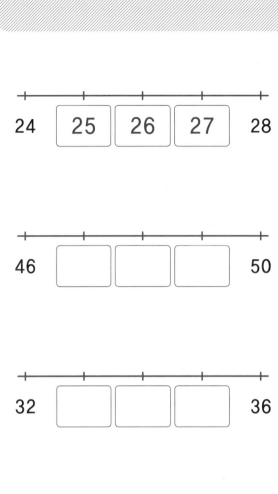

24 [25] [26] [27] 28

37 [ ] [ ] [ ] 41

46 [ ] [ ] [ ] 50

19 [ ] [ ] [ ] 23

32 [ ] [ ] [ ] 36

45 [ ] [ ] [ ] 49

28 [ ] [ ] [ ] 32

39 [ ] [ ] [ ] 43

13 [ ] [ ] [ ] 17

21 [ ] [ ] [ ] 25

35 [ ] [ ] [ ] 39

41 [ ] [ ] [ ] 45

1 ⬤에 쓰인 수가 작은 수부터 순서대로 쓰세요.

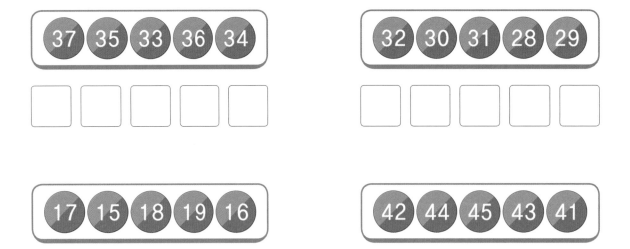

| 37 | 35 | 33 | 36 | 34 |

| | | | | |

| 32 | 30 | 31 | 28 | 29 |

| | | | | |

| 17 | 15 | 18 | 19 | 16 |

| | | | | |

| 42 | 44 | 45 | 43 | 41 |

| | | | | |

2 규칙을 찾아 빈칸에 알맞은 수를 쓰세요.

25	26		31	35
27		32	36	
	33		41	
	38	42		47
39	43		48	

15	16	17		19
	31		33	
29		39		21
28		36	35	22
	26		24	

3 빈칸에 알맞은 수를 쓰세요.

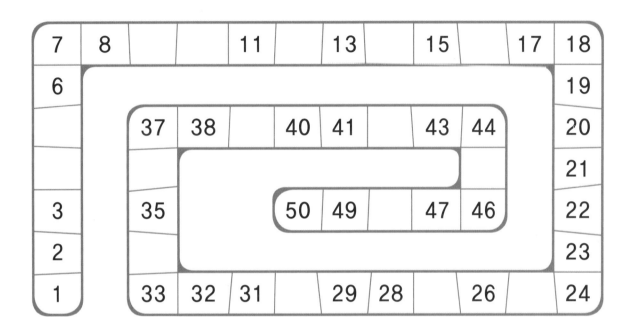

4 주희네 가족 4명이 영화관에 나란히 앉아 있습니다. 가족들의 좌석 번호 중 가장 작은 번호가 17번입니다. 주희네 가족의 좌석 번호를 모두 쓰세요.

                번,   번,   번,   번

5 동호네 반 학생들이 체육관에 들어가기 위해 번호 순으로 줄을 섰습니다. 동호는 38번, 지호는 43번입니다. 두 사람 사이에 있는 학생들의 번호를 모두 쓰세요.

                번,   번,   번,   번

1씩, 10씩 앞으로 세기

개념
원리

1씩 앞으로, 10씩 앞으로 세어 빈칸에 알맞은 수를 써 봅시다.

1씩 앞으로 세면 일의 자리 숫자가 1씩 커지고
10씩 앞으로 세면 십의 자리 숫자가 1씩 커집니다.

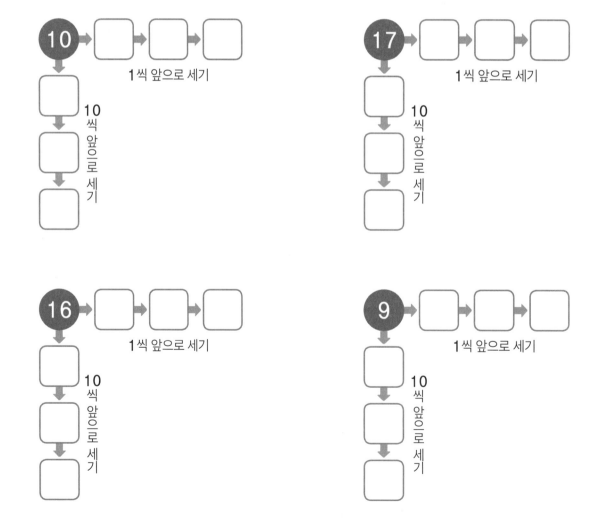

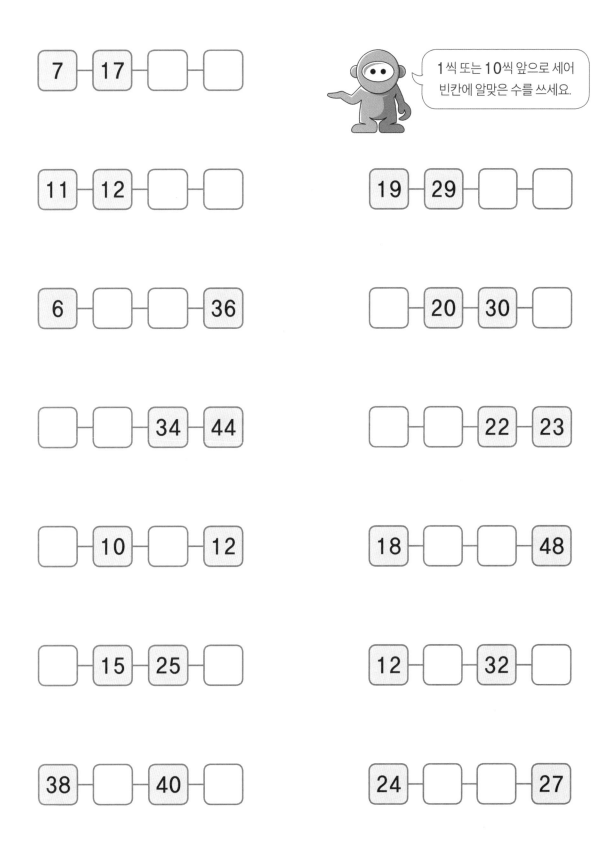

1 1씩 또는 10씩 앞으로 세어 차례로 선을 이으세요.

시작 ○ | 15 | 16 | 18 |
|---|---|---|
| 14 | 17 | 14 |
| 13 | 18 | 19 | ○ 끝

시작 ○ | 7 | 8 | 9 |
|---|---|---|
| 17 | 10 | 11 |
| 27 | 37 | 47 | ○ 끝

| 31 | 32 | 42 | ○ 끝
|---|---|---|
| 21 | 22 | 14 |
시작 ○ | 2 | 12 | 13 |

시작 ○ | 10 | 11 | 18 |
|---|---|---|
| 15 | 12 | 13 |
| 18 | 20 | 14 | ○ 끝

시작 ○ | 17 | 16 | 23 |
|---|---|---|
| 18 | 19 | 22 |
| 24 | 20 | 21 | ○ 끝

시작 ○ | 8 | 18 | 28 |
|---|---|---|
| 9 | 10 | 38 |
| 11 | 12 | 48 | ○ 끝

시작 ○ | 6 | 17 | 27 |
|---|---|---|
| 16 | 37 | 47 |
| 26 | 36 | 46 | ○ 끝

| 35 | 34 | 31 | ○ 끝
|---|---|---|
| 36 | 29 | 30 |
시작 ○ | 27 | 28 | 40 |

2 앞으로 10씩 뛰어 세어 선으로 연결하세요.

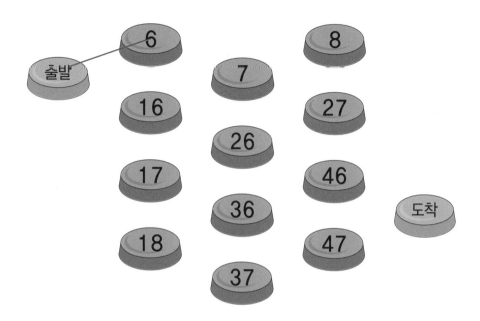

3 6에서 시작하여 10씩 앞으로 4번 뛰어 센 수는 얼마일까요?

4 형수는 현재 9장의 카드를 가지고 있습니다. 앞으로 4일 동안 매일 10장씩 모은다면 모두 몇
장이 될까요?

장

1 큰 수, 10 큰 수

개념
원리

수 배열표에서 구하는 수에 ○표 하고, ☐ 안에 알맞은 수를 써 봅시다.

1	2	3	4	5
11	12	**13**	**⑭**	15
21	22	**㉓**	24	25
31	32	33	34	35

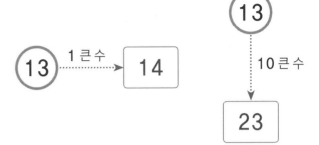

13 ---1 큰 수---> 14

13 ···10 큰 수···> 23

수 배열표에서 1 큰 수는 오른쪽 수, 10 큰 수는 아래쪽 수입니다.

15	16	17	18	19
25	26	27	28	29
35	**36**	37	38	39
45	46	47	48	49

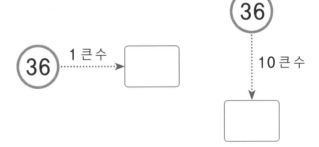

36 ---1 큰 수---> ☐

36 ···10 큰 수···> ☐

11	12	13	14	15
21	22	23	**24**	25
31	32	33	34	35
41	42	43	44	45

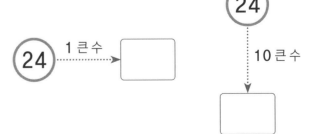

24 ---1 큰 수---> ☐

24 ···10 큰 수···> ☐

⑬ ┈1큰수┈▶ ☐

㊲ ┈1큰수┈▶ ☐

㉒ ┈1큰수┈▶ ☐

㊺ ┈1큰수┈▶ ☐

㉛ ┈1큰수┈▶ ☐

㉙ ┈1큰수┈▶ ☐

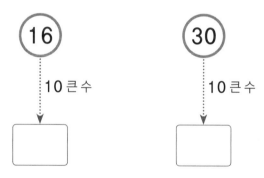

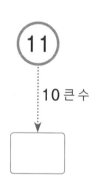

⑯ ┊10큰수 ▼ ☐

㉚ ┊10큰수 ▼ ☐

㉗ ┊10큰수 ▼ ☐

⑪ ┊10큰수 ▼ ☐

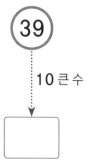

㊴ ┊10큰수 ▼ ☐

㉔ ┊10큰수 ▼ ☐

⑱ ┊10큰수 ▼ ☐

㉜ ┊10큰수 ▼ ☐

1 ●의 수보다 1 큰 수에 ○표, 10 큰 수에 □표 하고 선으로 연결하세요.

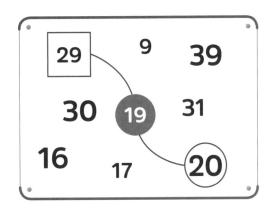

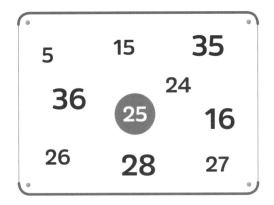

2 화살표 규칙을 찾아 □ 안에 알맞은 수를 쓰세요.

⑬ ➡ ⑭ ↗ ㉔ ➡ ㉕ ↗ ㉟ ➡ ☐ ↗ ☐ ➡ ㊼

8 ➡ 9 ↗ 19 ➡ 20 ↗ 30 ➡ ☐ ↗ ☐ ➡ 42

3 정호와 승희의 사물함 번호를 구하세요.

내 사물함 번호는
23보다 10 큰 수야.

정호

내 사물함 번호는
29보다 1 큰 수야.

승희

정호의 사물함 번호: ☐ 번

승희의 사물함 번호: ☐ 번

4 ☐ 안에 알맞은 두 수를 찾아 모두 ○표 하세요.

24보다 1 큰 수는 ☐, 10 큰 수는 ☐ 입니다.

24 25 26 34 44 54

☐ 보다 1 큰 수는 40, 10 큰 수는 ☐ 입니다.

38 39 40 48 49 50

☐ 보다 1 큰 수는 ☐, 10 큰 수는 30입니다.

20 21 22 23 24 25

1 종류별로 **10**개씩 묶고, 개수를 세어 ☐ 안에 알맞은 수를 쓰세요.

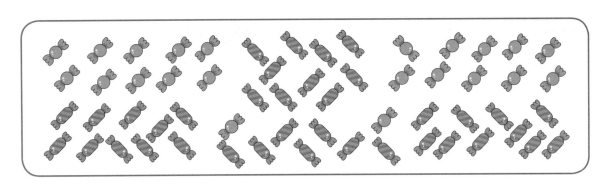

🍬 : ☐ 개, 🍬 : ☐ 개

2 자두가 **10**개씩 들어 있는 상자가 **3**상자, 낱개가 **7**개 있습니다. 자두는 모두 몇 개일까요?

☐ 개

3 ⬤에 쓰인 수가 작은 수부터 순서대로 쓰세요.

4 규칙을 찾아 빈칸에 알맞은 수를 쓰세요.

12	13	14		16
	20		18	17
22		24	25	
31		29		27
	33		35	

5 1씩 또는 10씩 앞으로 세어 차례로 선을 이으세요.

35	45	46	끝
25	26	36	
6	16	15	

시작

6 7에서 시작하여 10씩 앞으로 4번 뛰어 센 수는 얼마일까요?

1번 2번 3번 4번

| 7 | | | | |

7 ●의 수보다 1 큰 수에 ○표, 10 큰 수에 □표 하고 선으로 연결하세요.

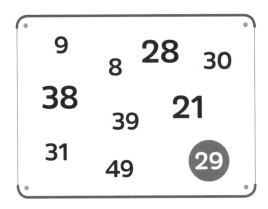

8 □ 안에 알맞은 두 수를 찾아 모두 ○표 하세요.

□보다 1 큰 수는 □, 10 큰 수는 29입니다.

18 19 20 28 30 39

9 호성이는 다음 그림의 밤의 수보다 10 큰 수를 공책에 썼습니다. 호성이가 공책에 쓴 수는
얼마일까요?

2주차

덧셈하기

더하는 수가 1, 10인 덧셈

더하기 1, 더하기 10

그림을 보고 덧셈을 해 봅시다.

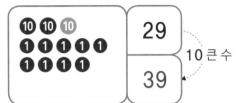

$$29 + 10 = 39$$

29+10의 계산 결과는 29보다
10 큰 수와 같습니다.

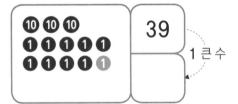

$$\boxed{} + 1 = \boxed{}$$

$$\boxed{} + 10 = \boxed{}$$

$$\boxed{} + 10 = \boxed{}$$

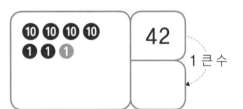

$$\boxed{} + 1 = \boxed{}$$

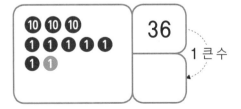

$$\boxed{} + 1 = \boxed{}$$

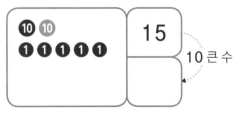

$$\boxed{} + 10 = \boxed{}$$

24 + 1 = ☐   38 + 10 = ☐   37 + 1 = ☐

15 + 10 = ☐   41 + 1 = ☐   11 + 10 = ☐

29 + 1 = ☐   24 + 10 = ☐   46 + 1 = ☐

17 + 10 = ☐   31 + 1 = ☐   22 + 10 = ☐

```
    2  0              2  8              3  3
 +  1  0           +     1           +  1  0
 ┌──────┐          ┌──────┐          ┌──────┐
 └──────┘          └──────┘          └──────┘
```

```
    3  9              1  8              2  2
 +     1           +  1  0           +     1
 ┌──────┐          ┌──────┐          ┌──────┐
 └──────┘          └──────┘          └──────┘
```

1 계산에 맞게 선을 그으세요.

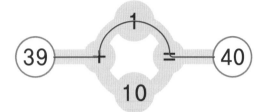

$$39 + \begin{matrix} 1 \\ 10 \end{matrix} = 40$$

$$20 + \begin{matrix} 1 \\ 10 \end{matrix} = 30$$

$$22 + \begin{matrix} 1 \\ 10 \end{matrix} = 32$$

$$41 + \begin{matrix} 1 \\ 10 \end{matrix} = 42$$

$$15 + \begin{matrix} 1 \\ 10 \end{matrix} = 16$$

$$32 + \begin{matrix} 1 \\ 10 \end{matrix} = 42$$

2 관계있는 것끼리 선으로 이으세요.

+10	
11	34
24	21
36	46

+1	
31	26
25	20
19	32

+10	
15	17
23	25
7	33

3 그림을 보고 물음에 맞게 ☐ 안에 알맞은 수를 쓰세요.

사과　　　　딸기　　　　참외

딸기와 참외는 모두 몇 개일까요?

식 ☐ + ☐ = ☐　　답 ☐ 개

사과와 참외는 모두 몇 개일까요?

식 ☐ + ☐ = ☐　　답 ☐ 개

사과와 딸기는 모두 몇 개일까요?

식 ☐ + ☐ = ☐　　답 ☐ 개

4 진우는 6살입니다. 진우의 형은 진우보다 10살이 많습니다. 진우의 형은 몇 살일까요?

식 ☐ + ☐ = ☐　　답 ☐ 살

5 진형이네 반은 24명이었는데 1명이 전학 왔습니다. 진형이네 반은 몇 명이 되었을까요?

식 ☐ + ☐ = ☐　　답 ☐ 명

1 더하기, 10 더하기

개념
원리

두 수를 바꾸어 더해 봅시다.

⑩ ⑩ ❶ ❶ ❶ ❶ ❶   ⑩

$25 + 10 = \boxed{35}$

⑩   ⑩ ⑩ ❶ ❶ ❶ ❶ ❶

$10 + 25 = \boxed{35}$

두 수를 바꾸어 더해도 그 결과는 같습니다.

$29 + 1 = \boxed{}$

$1 + 29 = \boxed{}$

$17 + 10 = \boxed{}$

$10 + 17 = \boxed{}$

$34 + 10 = \boxed{}$

$10 + 34 = \boxed{}$

$45 + 1 = \boxed{}$

$1 + 45 = \boxed{}$

$15 + 1 = \boxed{}$

$1 + 15 = \boxed{}$

$23 + 10 = \boxed{}$

$10 + 23 = \boxed{}$

$32 + 10 = \boxed{}$

$10 + 32 = \boxed{}$

$47 + 1 = \boxed{}$

$1 + 47 = \boxed{}$

14 + 1 = ☐
1 + 14 = ☐

28 + 10 = ☐
10 + 28 = ☐

32 + 10 = ☐
10 + 32 = ☐

21 + 1 = ☐
1 + 21 = ☐

44 + 1 = ☐
1 + 44 = ☐

19 + 10 = ☐
10 + 19 = ☐

24 + 10 = ☐
10 + 24 = ☐

18 + 1 = ☐
1 + 18 = ☐

11 + 1 = ☐
1 + 11 = ☐

36 + 10 = ☐
10 + 36 = ☐

1 가로, 세로로 두 수의 합에 맞게 빈칸에 알맞은 수를 쓰세요.

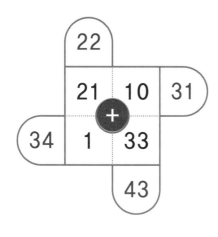

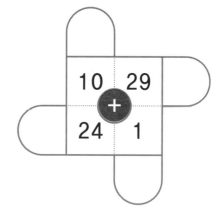

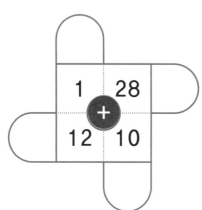

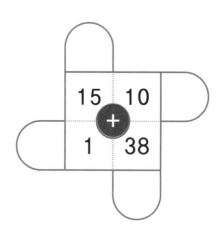

2 안쪽 수와 바깥쪽 수를 더해 ☐ 안에 알맞은 수를 쓰세요.

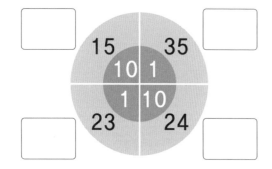

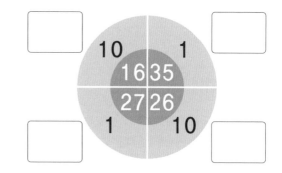

3 주어진 수를 이용하여 덧셈식 2개를 만드세요.

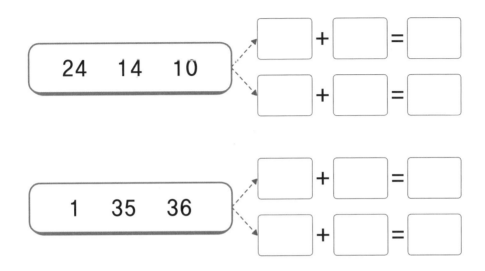

24   14   10

☐ + ☐ = ☐

☐ + ☐ = ☐

1   35   36

☐ + ☐ = ☐

☐ + ☐ = ☐

4 빨간색 구슬이 10개, 파란색 구슬이 33개 있습니다. 구슬은 모두 몇 개일까요?

식 ☐ + ☐ = ☐   답 ☐ 개

5 윤호와 정수는 우표를 모으는데 윤호는 19장을 가지고 있고 정수는 윤호보다 1장을 더 가지고 있습니다. 정수가 가진 우표는 몇 장일까요?

식 ☐ + ☐ = ☐   답 ☐ 장

□가 있는 더하기

개념
원리

□ 안에 ⑩ 또는 ❶을 알맞게 그리고 □ 안에 알맞은 수를 써 봅시다.

$$23 + \boxed{10} = 33$$

23에 10을 더하면 33이 됩니다.

$$36 + \boxed{} = 46$$

$$\boxed{} + 10 = 42$$

$$45 + \boxed{} = 46$$

$$\boxed{} + 1 = 35$$

$$28 + \boxed{} = 29$$

$$\boxed{} + 10 = 27$$

$42 + \boxed{} = 43$　　　$\boxed{} + 10 = 36$　　　$21 + \boxed{} = 22$

$17 + \boxed{} = 27$　　　$\boxed{} + 1 = 31$　　　$32 + \boxed{} = 42$

$24 + \boxed{} = 25$　　　$\boxed{} + 10 = 38$　　　$39 + \boxed{} = 40$

$14 + \boxed{} = 24$　　　$\boxed{} + 1 = 41$　　　$14 + \boxed{} = 24$

```
    2  2              4  7              3  4
 +  [    ]          + [    ]          + [    ]
 ---------          ---------          ---------
    3  2              4  8              4  4
```

```
   [     ]            [     ]            [     ]
 +       1          +  1  0            +       1
 ---------          ---------          ---------
   3    7             4    3             2    0
```

1 빈칸에 알맞은 수를 쓰세요.

35 —+10→ 45 —+$\boxed{1}$→ 46

28 —+$\boxed{}$→ 38 —+$\boxed{}$→ 39

11 —+$\boxed{}$→ $\bigcirc$ —+10→ 22

12 —+1→ $\bigcirc$ —+$\boxed{}$→ 23

2 ◯ 안에 알맞은 수를 찾고 덧셈을 하여 빈칸을 채우세요.

+ (1)

9	10
15	16
28	29

+ ( )

33	43
	31
15	

+ ( )

23	
45	46
29	

+ ( )

	38
16	
39	49

+ ( )

19	
26	27
	45

+ ( )

25	35
18	
	42

3   관계있는 것끼리 연결하세요.

연필이 13자루 있습니다. 몇 자루를 더 사았더니 23자루가 되었습니다.

사과를 몇 개 땄습니다. 1개 더 땄더니 29개가 되었습니다.

구슬이 20개 있습니다. 몇 개를 더 가져왔더니 21개가 되었습니다.

13+☐=23   ☐=28

20+☐=21   ☐=10

☐+1=29   ☐=1

4   ☐의 값을 구하세요.

☐에 1을 더했더니 28입니다. ☐는 얼마일까요?   ☐

    ☐+1=28

23에 ☐을 더했더니 33입니다. ☐는 얼마일까요?   ☐

☐에 10을 더했더니 41입니다. ☐는 얼마일까요?   ☐

세 수의 덧셈

개념
원리

그림을 보고 덧셈을 해 봅시다.

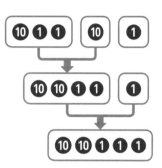

$$12 + 10 + 1 = \boxed{23}$$

$$\boxed{22} + 1$$

$$\boxed{23}$$

앞의 두 수 12와 10을 더한 값 22에 마지막 수 1을 더합니다.

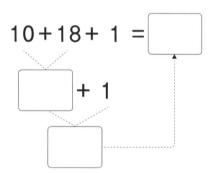

$$10 + 18 + 1 = \boxed{}$$

$$\boxed{} + 1$$

$$\boxed{}$$

$$32 + 1 + 10 = \boxed{}$$

$$\boxed{} + 10$$

$$\boxed{}$$

$$15 + 10 + 10 = \boxed{}$$

$$\boxed{} + 10$$

$$\boxed{}$$

$$19 + 1 + 1 = \boxed{}$$

$$\boxed{} + 1$$

$$\boxed{}$$

24 + 10 + 1 = ☐

14 + 1 + 10 = ☐

31 + 1 + 10 = ☐

20 + 10 + 1 = ☐

10 + 33 + 1 = ☐

1 + 19 + 10 = ☐

21 + 1 + 10 = ☐

16 + 10 + 10 = ☐

1 + 28 + 10 = ☐

25 + 1 + 10 = ☐

34 + 10 + 1 = ☐

10 + 22 + 1 = ☐

29 + 1 + 1 = ☐

24 + 10 + 10 = ☐

10 + 11 + 1 = ☐

27 + 1 + 10 = ☐

1 연결된 세 수의 합이 ☆ 안의 수가 되도록 삼각형을 그리세요.

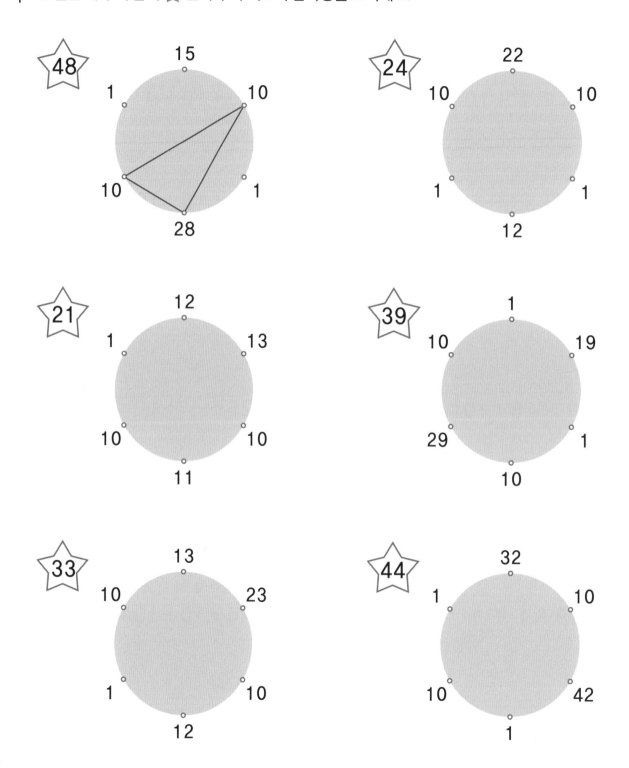

2 사다리를 타고 내려가는 길의 계산에 맞게 빈칸에 알맞은 수를 쓰세요.

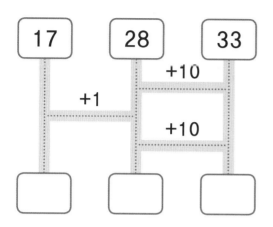

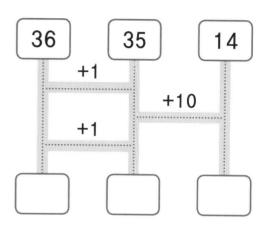

3 동물원에 여우 14마리, 코끼리 1마리, 사슴 10마리가 있습니다. 동물원에 있는 동물은 모두 몇 마리일까요?

식 ☐ + ☐ + ☐ = ☐   답 ☐ 마리

4 위인전이 32권, 동화책이 10권, 만화책이 1권 있습니다. 책은 모두 몇 권일까요?

식 ☐ + ☐ + ☐ = ☐   답 ☐ 권

1 계산에 맞게 선을 그으세요.

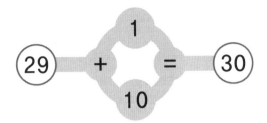
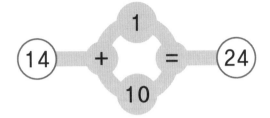

2 현성이는 7살입니다. 현성이의 누나는 현성이보다 10살이 많습니다. 현성이의 누나는 몇 살일까요?

식 ☐ + ☐ = ☐   답 ☐ 살

3 가로, 세로로 두 수의 합을 빈칸에 쓰세요.

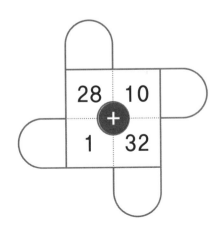
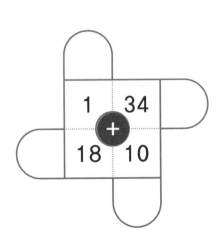

4 선호와 현우는 엽서를 모으는데 선호는 **24**장을 가지고 있고 현우는 선호보다 **10**장을 더 가
  지고 있습니다. 현우가 가진 엽서는 몇 장일까요?

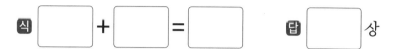

식 ☐ + ☐ = ☐   답 ☐ 상

5 ○ 안에 알맞은 수를 찾고 덧셈을 하여 빈칸을 채우세요.

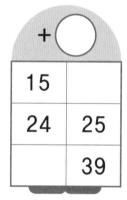

+ ○	
15	
24	25
	39

+ ○	
32	42
	39
10	

+ ○	
	37
31	
13	23

6 ☐ 에 **10**을 더했더니 **45**입니다. ☐ 는 얼마일까요?   ☐

7 덧셈을 하세요.

13 + 10 + 1 = ☐

38 + 1 + 10 = ☐

27 + 1 + 10 = ☐

16 + 10 + 1 = ☐

8 연결된 세 수의 합이 ☆ 안의 수가 되도록 삼각형을 그리세요.

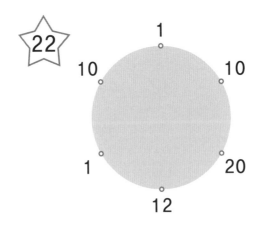

9 바구니에 사과 20개, 수박 1개, 딸기 10개가 있습니다. 바구니에 들어 있는 과일은 모두 몇 개일까요?

식 ☐ + ☐ + ☐ = ☐   답 ☐ 개

3주차

뺄셈하기

빼는 수가 1, 10인 뺄셈

거꾸로 세기

 개념 원리

1씩 거꾸로, 10씩 거꾸로 세어 빈칸에 알맞은 수를 써 봅시다.

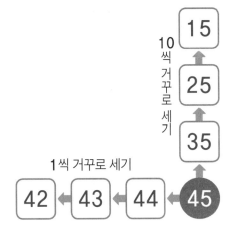

1씩 거꾸로 세면 일의 자리 숫자가 1씩 작아지고
10씩 거꾸로 세면 십의 자리 숫자가 1씩 작아집니다.

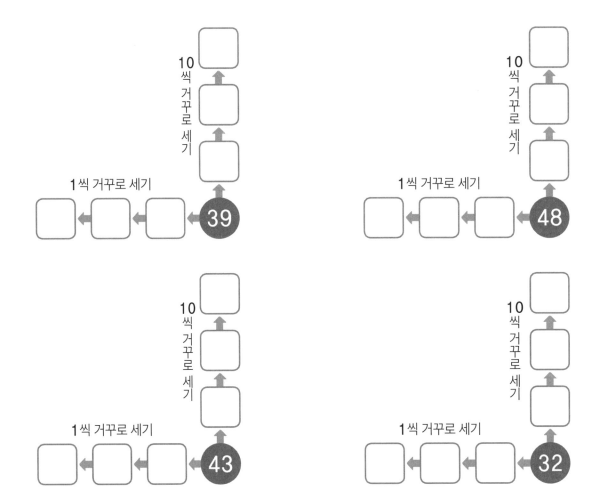

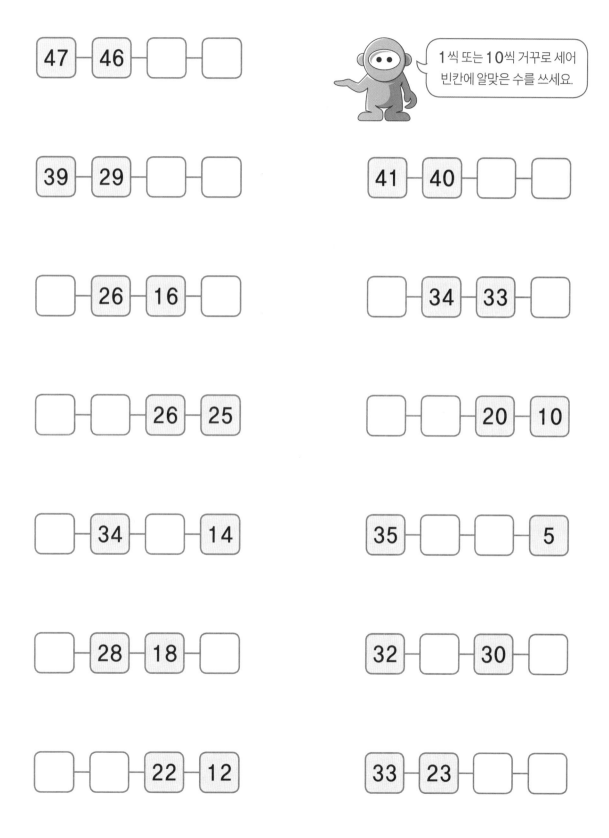

47 – 46 – ☐ – ☐

1씩 또는 10씩 거꾸로 세어 빈칸에 알맞은 수를 쓰세요.

39 – 29 – ☐ – ☐

41 – 40 – ☐ – ☐

☐ – 26 – 16 – ☐

☐ – 34 – 33 – ☐

☐ – ☐ – 26 – 25

☐ – ☐ – 20 – 10

☐ – 34 – ☐ – 14

35 – ☐ – ☐ – 5

☐ – 28 – 18 – ☐

32 – ☐ – 30 – ☐

☐ – ☐ – 22 – 12

33 – 23 – ☐ – ☐

1 1씩 또는 10씩 거꾸로 세어 차례로 선을 이으세요.

시작	33	32	3
23	31	30
13	28	29 끝

43	44	8 끝
47	46	18
시작	48	38	28

21	12	2 끝
32	22	23
시작	42	33	31

시작	15	14	24
25	13	9
10	12	11 끝

24	25	24 끝
18	26	14
시작	28	27	23

42	23	4 끝
43	24	14
시작	44	34	13

42	20	10 끝
40	30	43
시작	50	49	45

31	30	29 끝
32	34	27
시작	33	23	35

2 규칙에 따라 수를 써넣었습니다. 빈칸에 알맞은 수를 쓰세요.

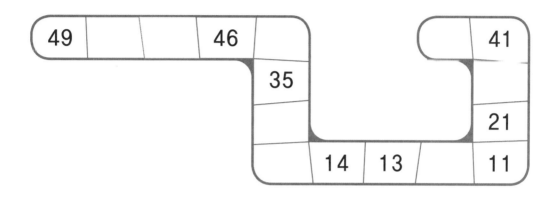

3 31에서 시작하여 1씩 거꾸로 6번 뛰어 센 수는 얼마일까요?

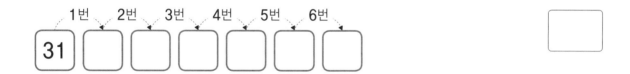

4 현미는 사탕 46개를 가지고 있습니다. 앞으로 4일 동안 사탕을 매일 10개씩 먹는다면 몇 개가 남을까요?

개

1 작은 수, 10 작은 수

개념
원리

수 배열표에서 구하는 수에 ◯표 하고, ☐ 안에 알맞은 수를 써 봅시다.

1	2	3	④14	5
11	12	13	⑭	15
21	22	㉓	㉔	25
31	32	33	34	35

23 ←---- 1 작은 수 ㉔

14

10 작은 수

㉔

수 배열표에서 1 작은 수는 왼쪽 수,
10 작은 수는 위쪽 수입니다.

15	16	17	18	19
25	26	27	28	29
35	36	37	㊳	39
45	46	47	48	49

☐ ←---- 1 작은 수 ㊳

☐

10 작은 수

㊳

11	12	13	14	15
21	22	23	24	25
31	32	33	34	35
41	42	㊸	44	45

☐ ←---- 1 작은 수 ㊸

☐

10 작은 수

㊸

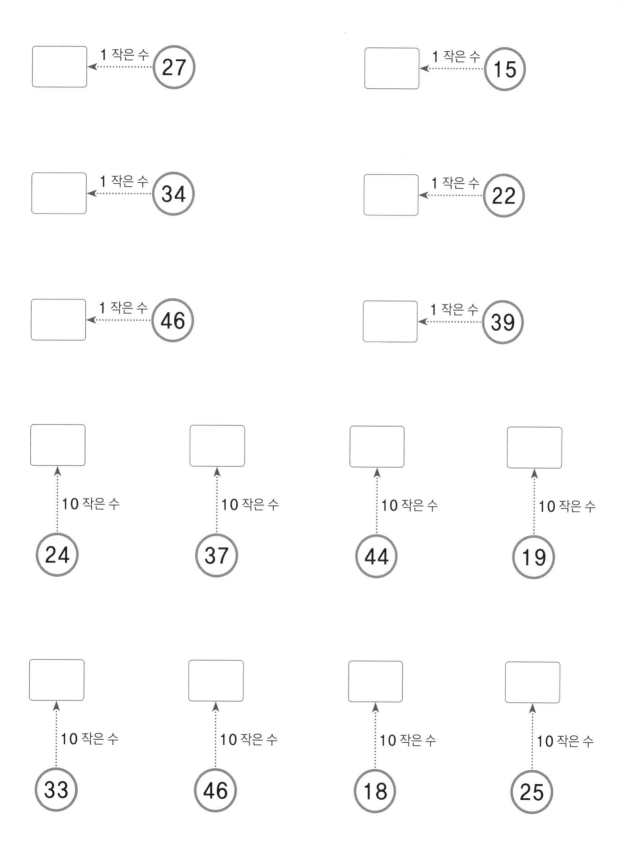

1 작은 수 ⟵ 27

1 작은 수 ⟵ 15

1 작은 수 ⟵ 34

1 작은 수 ⟵ 22

1 작은 수 ⟵ 46

1 작은 수 ⟵ 39

10 작은 수 ↑ 24

10 작은 수 ↑ 37

10 작은 수 ↑ 44

10 작은 수 ↑ 19

10 작은 수 ↑ 33

10 작은 수 ↑ 46

10 작은 수 ↑ 18

10 작은 수 ↑ 25

1 ●의 수보다 **1** 작은 수에 ○표, **10** 작은 수에 □표 하고 선으로 연결하세요.

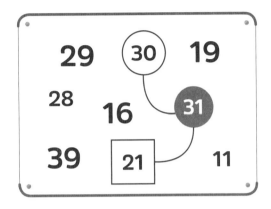

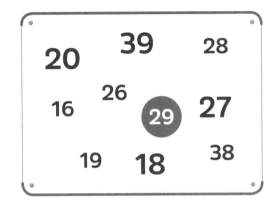

2 화살표 규칙을 찾아 □ 안에 알맞은 수를 쓰세요.

48 ➡ 47 ↺ 37 ➡ 36 ↺ 26 ➡ ⬜ ↺ ⬜ ➡ 14

35 ➡ 34 ↺ 24 ➡ 23 ↺ 13 ➡ ⬜ ↺ ⬜ ➡ 1

3 형철이의 출석 번호는 **40**번입니다. 수영이와 준희의 번호를 구하세요.

형철이의 번호보다
1 작은 수야.

수영

형철이의 번호 보다
10 작은 수야.

준희

수영이의 출석 번호: ☐ 번   준희의 출석 번호: ☐ 번

4 ☐ 안에 알맞은 두 수를 찾아 모두 ○표 하세요.

30보다 **1** 작은 수는 ☐, **10** 작은 수는 ☐ 입니다.

| 10 | 19 | 20 | 29 | 30 | 39 |

☐ 보다 **1** 작은 수는 **37**, **10** 작은 수는 ☐ 입니다.

| 26 | 27 | 28 | 36 | 37 | 38 |

☐ 보다 **1** 작은 수는 ☐, **10** 작은 수는 **37**입니다.

| 26 | 27 | 36 | 37 | 46 | 47 |

빼기 1, 빼기 10

개념
원리

10 또는 **1**을 하나 지우고 뺄셈해 봅시다.

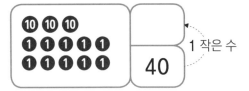

10 작은 수

$$35 - 10 = 25$$

35−10의 계산 결과는 35보다
10 작은 수와 같습니다.

40

1 작은 수

$$\boxed{} - 1 = \boxed{}$$

37

10 작은 수

$$\boxed{} - 10 = \boxed{}$$

29

10 작은 수

$$\boxed{} - 10 = \boxed{}$$

24

1 작은 수

$$\boxed{} - 1 = \boxed{}$$

43

1 작은 수

$$\boxed{} - 1 = \boxed{}$$

35

10 작은 수

$$\boxed{} - 10 = \boxed{}$$

38 - 1 = ☐   34 - 10 = ☐   34 - 1 = ☐

26 - 10 = ☐   23 - 1 = ☐   22 - 10 = ☐

15 - 1 = ☐   39 - 10 = ☐   46 - 1 = ☐

45 - 10 = ☐   18 - 1 = ☐   28 - 10 = ☐

$$\begin{array}{r} 3\ 3 \\ -\ 1\ 0 \\ \hline \boxed{} \end{array}$$
$$\begin{array}{r} 4\ 2 \\ -\ \ \ 1 \\ \hline \boxed{} \end{array}$$
$$\begin{array}{r} 2\ 7 \\ -\ 1\ 0 \\ \hline \boxed{} \end{array}$$

$$\begin{array}{r} 4\ 4 \\ -\ \ \ 1 \\ \hline \boxed{} \end{array}$$
$$\begin{array}{r} 2\ 8 \\ -\ 1\ 0 \\ \hline \boxed{} \end{array}$$
$$\begin{array}{r} 3\ 6 \\ -\ \ \ 1 \\ \hline \boxed{} \end{array}$$

1 계산에 맞게 선을 그으세요.

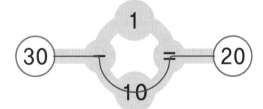

(30) — 1 / 10 = (20)

(32) — 1 / 10 = (31)

(46) — 1 / 10 = (36)

(21) — 1 / 10 = (20)

(18) — 1 / 10 = (17)

(43) — 1 / 10 = (33)

2 관계있는 것끼리 선으로 이으세요.

−1	
34	44
44	43
45	33

−10	
25	24
34	37
47	15

−1	
32	25
26	31
20	19

3 수 카드를 이용하여 만들 수 있는 두 수의 **뺄셈식**을 모두 쓰고 계산하세요.

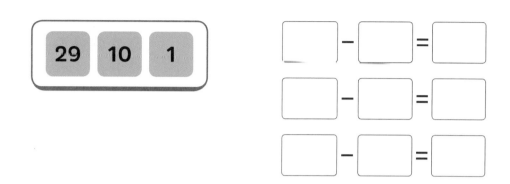

| | 29 | 10 | 1 | |

☐ − ☐ = ☐

☐ − ☐ = ☐

☐ − ☐ = ☐

4 공원에 비둘기 **28**마리가 앉아 있습니다. 그중 **10**마리가 날아갔습니다. 공원에 남아 있는 비둘기는 몇 마리일까요?

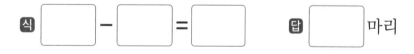

식 ☐ − ☐ = ☐   답 ☐ 마리

5 구슬이 **33**개 있습니다. 그중 **1**개를 동생에게 주었습니다. 남은 구슬은 몇 개일까요?

식 ☐ − ☐ = ☐   답 ☐ 개

□가 있는 빼기

개념
원리

빼는 수만큼 / 로 지우고, □ 안에 알맞은 수를 써 봅시다.

$37 -$ $\boxed{10}$ $= 27$

37에서 27을 남기고 지우려면
/ 로 10만큼 지워야 합니다.

$\boxed{48} - 1 =$ $\boxed{47}$

빼는 수 1만큼 / 로 지우면
48에서 남은 수는 47이 됩니다.

$25 -$ $\boxed{}$ $= 15$

$\boxed{} - 1 =$ $\boxed{}$

$34 -$ $\boxed{}$ $= 33$

$\boxed{} - 10 =$ $\boxed{}$

$28 -$ $\boxed{}$ $= 27$

$\boxed{} - 10 =$ $\boxed{}$

$25 - \boxed{} = 15$

$\boxed{} - 1 = 18$

$28 - \boxed{} = 18$

$37 - \boxed{} = 36$

$\boxed{} - 10 = 13$

$47 - \boxed{} = 46$

$42 - \boxed{} = 32$

$\boxed{} - 1 = 28$

$32 - \boxed{} = 22$

$44 - \boxed{} = 43$

$\boxed{} - 10 = 24$

$21 - \boxed{} = 20$

$$\begin{array}{r} 3\ 9 \\ -\ \boxed{} \\ \hline 2\ 9 \end{array}$$

$$\begin{array}{r} 4\ 1 \\ -\ \boxed{} \\ \hline 4\ 0 \end{array}$$

$$\begin{array}{r} 3\ 6 \\ -\ \boxed{} \\ \hline 2\ 6 \end{array}$$

$$\begin{array}{r} \boxed{} \\ -\ \ 1 \\ \hline 2\ 6 \end{array}$$

$$\begin{array}{r} \boxed{} \\ -\ 1\ 0 \\ \hline 2\ 2 \end{array}$$

$$\begin{array}{r} \boxed{} \\ -\ \ 1 \\ \hline 3\ 9 \end{array}$$

1 빈칸에 알맞은 수를 쓰세요.

24 —−1→ 23 —−10→ 13

47 —−□→ 37 —−□→ 36

34 —−□→ ○ —−1→ 23

15 —−1→ ○ —−□→ 4

2 ○ 안에 알맞은 수를 찾고 뺄셈을 하여 빈칸을 채우세요.

− (10)

26	16
45	35
24	14

− ○

	45
27	
14	13

− ○

34	24
	23
40	

− ○

28	27
	41
33	

− ○

	10
37	27
45	

− ○

37	
	23
16	15

3 ☐가 나타내는 수를 구하세요.

☐에서 1을 뺐더니 31입니다. ☐는 얼마일까요?

☐−1=31

47에서 ☐을 뺐더니 37입니다. ☐는 얼마일까요?

4 수가 요술 상자에 들어가면 다른 수로 바뀌어 나옵니다. 물음에 답하세요.

24는 어떤 수로 바뀔까요?

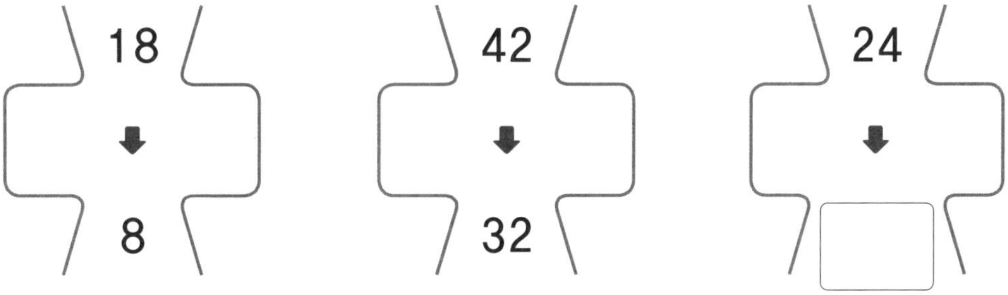

18
↓
8

42
↓
32

24
↓
☐

37은 어떤 수로 바뀔까요?

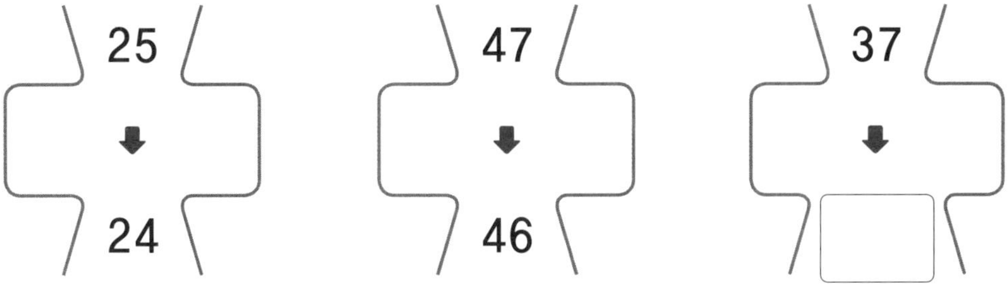

25
↓
24

47
↓
46

37
↓
☐

1 1씩 또는 10씩 거꾸로 세어 차례로 선을 이으세요.

시작

43	33	32
44	23	13
42	22	3

끝

37	27	8
38	28	18
48	29	17

끝

시작

2 34에서 시작하여 1씩 거꾸로 5번 뛰어 센 수는 얼마일까요?

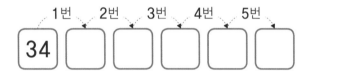

3 ●의 수보다 1 작은 수에 ◯표, 10 작은 수에 □표 하고 선으로 연결하세요.

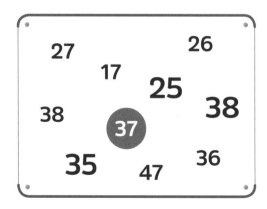

4 1 작은 수를 쓰세요.

5 진영이의 출석 번호는 33번입니다. 정호의 출석 번호는 몇 번일까요?

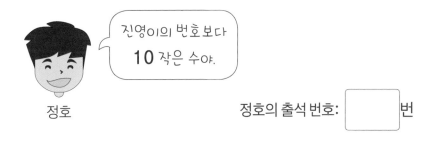

정호

정호의 출석 번호: [ ]번

6 관계있는 것끼리 선으로 이으세요.

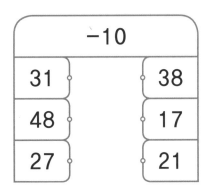

−10	
31	38
48	17
27	21

−1	
15	14
26	29
30	25

7 꽃밭에 꿀벌 **36**마리가 앉아 있습니다. 그중 **10**마리가 날아갔습니다. 꽃밭에 남아 있는 꿀벌은 몇 마리일까요?

8 ◯ 안에 알맞은 수를 찾고 뺄셈을 하여 빈칸을 채우세요.

− ◯	
32	31
	26
43	

− ◯	
	24
16	6
28	

− ◯	
28	18
	35
34	

9 ⬜ 에서 **10**을 빼면 **22**입니다. ⬜ 는 얼마일까요?   ⬜

4주차

더하기와 빼기

1, 10 더하고 빼기

더하기와 빼기

수 배열표의 빈칸에 알맞은 수를 쓰고 계산을 해 봅시다.

12		14	16
	23	(24)	25
32		34	36

+1은 오른쪽 수, −1은 왼쪽 수,
+10은 아래쪽 수, −10은 위쪽 수입니다.

24 + 1 = 25

24 − 1 = 23

24 + 10 = 34

24 − 10 = 14

	26		29
		(37)	
45			49

37 + 1 =

37 − 1 =

37 + 10 =

37 − 10 =

			4
		(13)	15
21			25

13 + 1 =

13 − 1 =

13 + 10 =

13 − 10 =

$36 + 1 =$ ☐

$41 - 10 =$ ☐

$24 + 10 =$ ☐

$19 - 10 =$ ☐

$22 + 10 =$ ☐

$13 - 1 =$ ☐

$28 + 1 =$ ☐

$32 - 1 =$ ☐

$33 + 10 =$ ☐

$39 - 10 =$ ☐

$26 + 10 =$ ☐

$17 - 1 =$ ☐

```
    3  0
 +  1  0
 ────────
   ☐
```

```
    2  9
 -     1
 ────────
   ☐
```

```
    2  4
 +  1  0
 ────────
   ☐
```

```
    3  7
 -     1
 ────────
   ☐
```

```
    3  1
 +  1  0
 ────────
   ☐
```

```
    2  3
 -     1
 ────────
   ☐
```

1 왼쪽은 두 수의 합, 오른쪽은 두 수의 차입니다. 두 수를 찾아 모두 ○표 하세요.

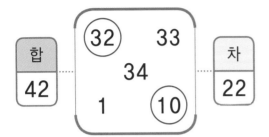

합 42 | 32 33 34 1 10 | 차 22

합 35 | 23 24 34 1 10 | 차 33

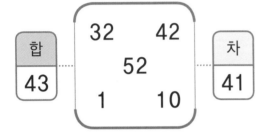

합 43 | 32 42 52 1 10 | 차 41

합 36 | 16 26 6 1 10 | 차 16

합 42 | 32 33 34 1 10 | 차 22

합 23 | 20 21 22 1 10 | 차 21

합 32 | 30 31 32 1 10 | 차 30

합 34 | 14 24 25 1 10 | 차 14

2 주어진 수를 빈칸에 써넣어 덧셈식 2개와 뺄셈식 2개를 만드세요.

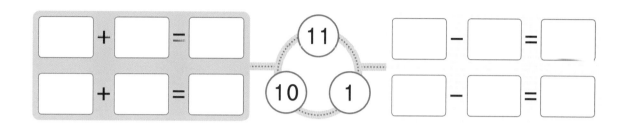

□ + □ = □   (11)   □ − □ = □

□ + □ = □   (10)   (1)   □ − □ = □

3 다음을 보고, 물음에 답하세요.

> 자전거 가게에는 두발자전거 17대, 세발자전거 10대가 있습니다.

자전거는 모두 몇 대 있을까요?

식 _____   답 _____ 대

두발자전거는 세발자전거보다 몇 대 더 많을까요?

식 _____   답 _____ 대

□가 있는 더하기와 빼기

개념
원리

□ 안에 알맞은 수를 찾고 덧셈과 뺄셈을 하여 빈칸을 채워 봅시다.

23	10
33	

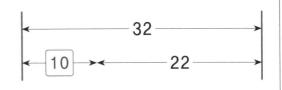

$$23 + \boxed{10} = 33$$

23과 □ 안의 수의 합은 33입니다.

$$32 - \boxed{10} = 22$$

32에서 □ 안의 수를 빼면 22입니다.

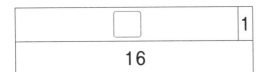

□	1
16	

$$\boxed{} + 1 = 16$$

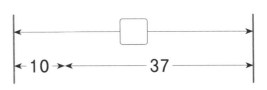

$$\boxed{} - 10 = 37$$

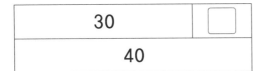

30	□
40	

$$30 + \boxed{} = 40$$

$$24 - \boxed{} = 14$$

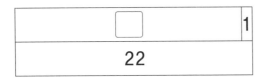

□	1
22	

$$\boxed{} + 1 = 22$$

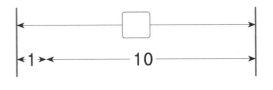

$$\boxed{} - 1 = 10$$

$34 + \boxed{} = 44$

$\boxed{} - 1 = 41$

$35 + \boxed{} = 45$

$26 - \boxed{} = 25$

$\boxed{} + 10 = 31$

$25 - \boxed{} = 24$

$28 + \boxed{} = 29$

$\boxed{} - 1 = 29$

$39 + \boxed{} = 49$

$33 - \boxed{} = 23$

$\boxed{} + 10 = 46$

$22 - \boxed{} = 21$

$$\begin{array}{r} 4\ 7 \\ -\ \boxed{} \\ \hline 3\ 7 \end{array}$$

$$\begin{array}{r} 2\ 2 \\ +\ \boxed{} \\ \hline 2\ 3 \end{array}$$

$$\begin{array}{r} 2\ 9 \\ -\ \boxed{} \\ \hline 1\ 9 \end{array}$$

$$\begin{array}{r} \boxed{} \\ +\ \ 1 \\ \hline 3\ 9 \end{array}$$

$$\begin{array}{r} \boxed{} \\ -\ 1\ 0 \\ \hline 2\ 4 \end{array}$$

$$\begin{array}{r} \boxed{} \\ +\ \ 1 \\ \hline 4\ 1 \end{array}$$

1 ☐ 안에 들어갈 수가 같은 것끼리 연결하세요.

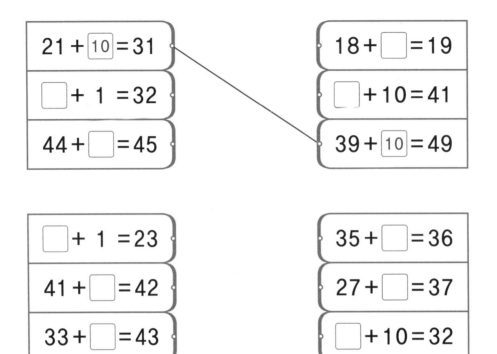

21 + [10] = 31

☐ + 1 = 32

44 + ☐ = 45

18 + ☐ = 19

☐ + 10 = 41

39 + [10] = 49

☐ + 1 = 23

41 + ☐ = 42

33 + ☐ = 43

35 + ☐ = 36

27 + ☐ = 37

☐ + 10 = 32

2 가로, 세로 방향으로 덧셈식과 뺄셈식이 성립하도록 빈 곳에 수를 넣으세요.

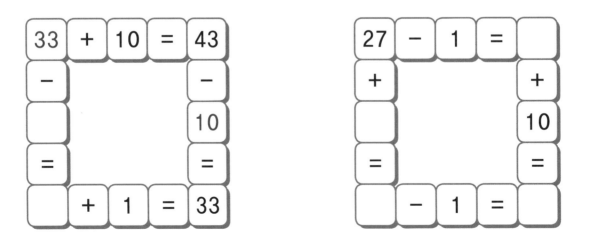

33	+	10	=	43
−				−
☐				10
=				=
☐	+	1	=	33

27	−	1	=	☐
+				+
☐				10
=				=
☐	−	1	=	☐

3 어떤 수를 구하는 식입니다. 알맞은 식에 ◯표 하세요.

어떤 수에 **1**을 더했더니 **14**입니다.

| □ − 1 = 14 | □ + 1 = 14 | 14 + 1 = □ | 15 − □ = 1 |

13에서 어떤 수를 뺐더니 **12**입니다.

| □ − 12 = 13 | □ + 12 = 13 | 13 + □ = 12 | 13 − □ = 12 |

4 밑줄 친 몇을 □라 하여 식을 세우고 물음에 답하세요.

파란색 상자에 사과가 **26**개 있고, 노란색 상자에는 사과가 <u>몇</u> 개 있습니다. 두 상자에 있는 사과는 모두 **27**개입니다. 노란색 상자에 있는 사과는 몇 개일까요?

오렌지가 **49**개 있습니다. 친구들과 함께 오렌지를 <u>몇</u> 개 먹었더니 **39**개가 남았습니다. 친구들과 함께 먹은 오렌지는 몇 개일까요?

세 수의 계산

 그림을 보고 ☐ 안에 알맞은 수를 써 봅시다.

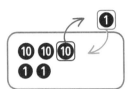

$$32 - 10 + 1$$

$$\boxed{22} + 1 = \boxed{23}$$

앞의 두 수를 먼저 계산한 다음 니머지 수를 계산합니다.

$$24 + 10 + 1$$

$$\boxed{} + 1 = \boxed{}$$

$$17 - 1 + 10$$

$$\boxed{} + 10 = \boxed{}$$

$$38 - 1 + 10$$

$$\boxed{} + 10 = \boxed{}$$

$$29 + 10 - 1$$

$$\boxed{} - 1 = \boxed{}$$

$$48 - 10 - 1$$

$$\boxed{} - 1 = \boxed{}$$

$$28 + 1 + 10$$

$$\boxed{} + 10 = \boxed{}$$

$$39 + 10 - 1$$

$$\boxed{} - 1 = \boxed{}$$

$$45 - 10 - 1$$

$$\boxed{} - 1 = \boxed{}$$

$11 + 10 + 1 =$ ☐ $32 - 1 + 10 =$ ☐

$45 + 1 - 10 =$ ☐ $28 - 10 - 1 =$ ☐

$33 - 10 + 1 =$ ☐ $23 - 1 + 10 =$ ☐

$24 + 1 - 10 =$ ☐ $19 + 10 - 1 =$ ☐

$49 - 1 - 10 =$ ☐ $31 - 1 + 10 =$ ☐

$36 + 1 - 10 =$ ☐ $26 + 10 - 1 =$ ☐

$22 - 1 - 10 =$ ☐ $31 + 1 + 10 =$ ☐

$24 + 10 - 1 =$ ☐ $21 - 1 + 10 =$ ☐

1 계산 결과에 맞게 길을 그리세요.

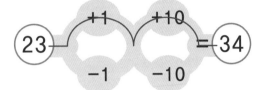

15 +1 +10 = 24
   -1 -10

40 +1 +10 = 29
   -1 -10

2 사다리를 타고 내려가는 길의 계산에 맞게 빈칸에 알맞은 수를 쓰세요.

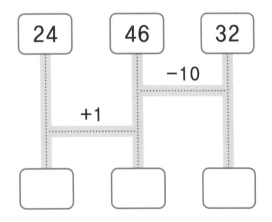

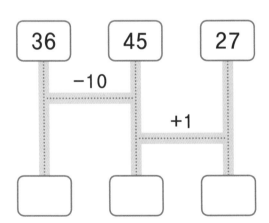

3 사각형 안에 있는 수의 합이 모두 같습니다. 빈칸에 알맞은 수를 쓰세요.

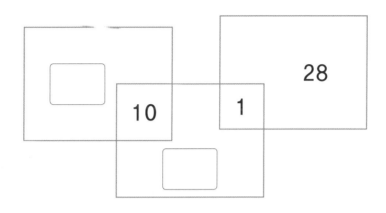

4 32명이 참가한 마라톤 대회가 열렸습니다. 먼저 1명이 결승선을 통과하였고 잠시 후에
10명이 더 결승선을 통과하였습니다. 아직 결승선을 통과하지 않은 선수는 몇 명일까요?

식 [   ] − [   ] − [   ] = [   ]   답 [   ] 명

5 28명이 예방 주사를 맞으려고 병원에 왔습니다. 먼저 10명이 주사를 맞고, 잠시 후 1명이 더
주사를 맞았습니다. 아직 주사를 맞지 않은 사람은 몇 명일까요?

식 [   ] − [   ] − [   ] = [   ]   답 [   ] 명

수 만들기

개념
원리

수 사이에 + 또는 −를 여러 가지 방법으로 넣었습니다. 계산을 해 봅시다.

$$34 + 1 + 10 = \boxed{45} \qquad 34 - 1 + 10 = \boxed{43}$$

$$34 + 1 - 10 = \boxed{25} \qquad 34 - 1 - 10 = \boxed{23}$$

세 수의 계산을 할 때 +, −를 넣는 방법은 4가지가 있습니다.

$$21 + 1 + 10 = \boxed{} \qquad 38 + 1 + 10 = \boxed{}$$

$$21 + 1 - 10 = \boxed{} \qquad 38 + 1 - 10 = \boxed{}$$

$$21 - 1 + 10 = \boxed{} \qquad 38 - 1 + 10 = \boxed{}$$

$$21 - 1 - 10 = \boxed{} \qquad 38 - 1 - 10 = \boxed{}$$

$$35 + 1 + 10 = \boxed{} \qquad 29 + 1 + 10 = \boxed{}$$

$$35 + 1 - 10 = \boxed{} \qquad 29 + 1 - 10 = \boxed{}$$

$$35 - 1 + 10 = \boxed{} \qquad 29 - 1 + 10 = \boxed{}$$

$$35 - 1 - 10 = \boxed{} \qquad 29 - 1 - 10 = \boxed{}$$

$23 \;(+)\; 1 \;(-)\; 10 = 14$

$32 \;(\;)\; 1 \;(\;)\; 10 = 23$

$39 \;(\;)\; 1 \;(\;)\; 10 = 48$

$46 \;(\;)\; 1 \;(\;)\; 10 = 35$

$21 \;(\;)\; 1 \;(\;)\; 10 = 32$

$19 \;(\;)\; 1 \;(\;)\; 10 = 28$

$36 \;(\;)\; 1 \;(\;)\; 10 = 45$

$33 \;(\;)\; 1 \;(\;)\; 10 = 24$

$42 \;(\;)\; 1 \;(\;)\; 10 = 33$

$28 \;(\;)\; 1 \;(\;)\; 10 = 37$

$16 \;(\;)\; 1 \;(\;)\; 10 = 27$

$34 \;(\;)\; 1 \;(\;)\; 10 = 25$

$22 \;(\;)\; 1 \;(\;)\; 10 = 31$

$37 \;(\;)\; 1 \;(\;)\; 10 = 46$

$41 \;(\;)\; 1 \;(\;)\; 10 = 30$

$29 \;(\;)\; 1 \;(\;)\; 10 = 20$

1 계산 결과에 맞게 선을 이으세요.

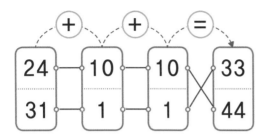

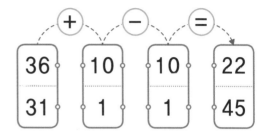

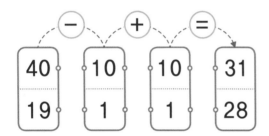

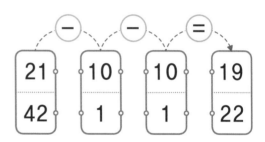

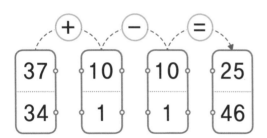

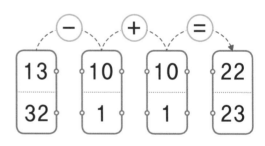

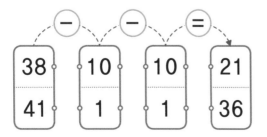

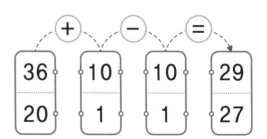

2 다음 수 카드 중 두 장을 이용하여 식을 완성하세요.

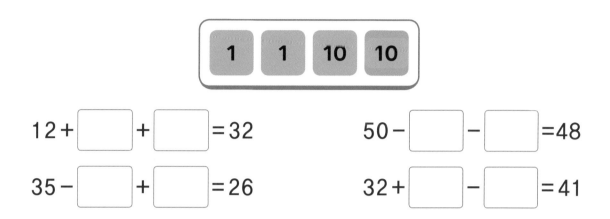

$12 + \boxed{} + \boxed{} = 32$ $50 - \boxed{} - \boxed{} = 48$

$35 - \boxed{} + \boxed{} = 26$ $32 + \boxed{} - \boxed{} = 41$

3 물음에 맞는 식에 ○표 하고, 답을 구하세요.

민호는 우표를 26장 가지고 있습니다. 형에게 우표 몇 장을 주고, 동생에게 1장을 받았더니 우표가 17장이 되었습니다. 민호가 형에게 준 우표는 몇 장일까요?

$26 - \boxed{} + 1 = 17$ $17 - \boxed{} + 1 = 26$ $26 + \boxed{} - 1 = 17$

답 _____ 장

어항에 금붕어 몇 마리가 들어 있습니다. 먼저 금붕어 10마리를 넣고, 1마리를 더 넣었더니 43마리가 되었습니다. 처음 어항에 들어 있던 금붕어는 몇 마리일까요?

$43 - \boxed{} + 1 = 10$ $\boxed{} + 10 + 1 = 43$ $10 + \boxed{} - 1 = 43$

답 _____ 마리

1 왼쪽은 두 수의 합, 오른쪽은 두 수의 차입니다. 두 수를 찾아 모두 ○표 하세요.

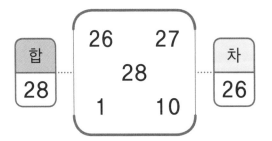

합
28

차
26

26   27
      28
1   10

2 다음을 보고, 물음에 답하세요.

빨간색 구슬 **36**개, 파란색 구슬 **10**개가 있습니다.

구슬은 모두 몇 개 있을까요?

식 _____   답 _____ 개

빨간색 구슬은 파란색 구슬보다 몇 개 더 많을까요?

식 _____   답 _____ 개

3 □ 안에 들어갈 수가 같은 것끼리 연결하세요.

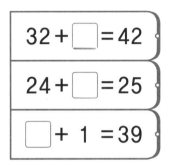

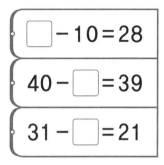

4 회전목마를 타러 **24**명이 놀이공원에 왔습니다. 먼저 **1**명이 회전목마를 타고, 잠시 후 **10**명
이 탔습니다. 아직 회전목마를 타지 않은 사람은 몇 명일까요?

식 ⬜ − ⬜ − ⬜ = ⬜   답 ⬜ 명

5 ○ 안에 **+** 또는 **−**를 넣으세요.

26 ◯ 1 ◯ 10 = 35   41 ◯ 1 ◯ 10 = 30

29 ◯ 1 ◯ 10 = 40   36 ◯ 1 ◯ 10 = 27

6 계산 결과에 맞게 선을 이으세요.

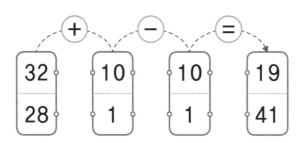

※ ☐를 사용한 식을 세우고 물음에 답해 봅시다.

7 쿠키가 37개 있습니다. 친구들과 함께 쿠키를 몇 개 먹었더니 27개 남았습니다. 친구들과
   함께 먹은 쿠키는 몇 개일까요?

식 _____   답 _____ 개

8 주차장에 있던 차 중에서 먼저 10대가 나가고, 잠시 후에 1대가 더 나갔더니 38대의 차가 남
   았습니다. 처음에 주차장에 있었던 차는 몇 대일까요?

식 _____   답 _____ 대

정답

응용
연산

P1
7~8세

50까지의 수에서
더하기, 빼기 1과 10

Creative to Math
씨투엠

P1

50까지의 수에서 더하기, 빼기 1과 10

7~8 세

정답 및 길잡이

50까지의 수

1일 065   50까지 개수 세기

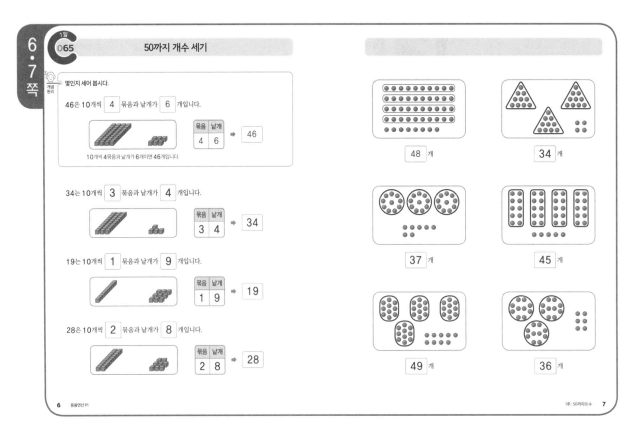

개념
원리

몇인지 세어 봅시다.

46은 10개씩 **4** 묶음과 낱개가 **6** 개입니다.

묶음	낱개
4	6

➡ 46

10개씩 4묶음과 낱개가 6개이면 46개입니다.

34는 10개씩 **3** 묶음과 낱개가 **4** 개입니다.

묶음	낱개
3	4

➡ 34

19는 10개씩 **1** 묶음과 낱개가 **9** 개입니다.

묶음	낱개
1	9

➡ 19

28은 10개씩 **2** 묶음과 낱개가 **8** 개입니다.

묶음	낱개
2	8

➡ 28

48 개

34 개

37 개

45 개

49 개

36 개

응용연산

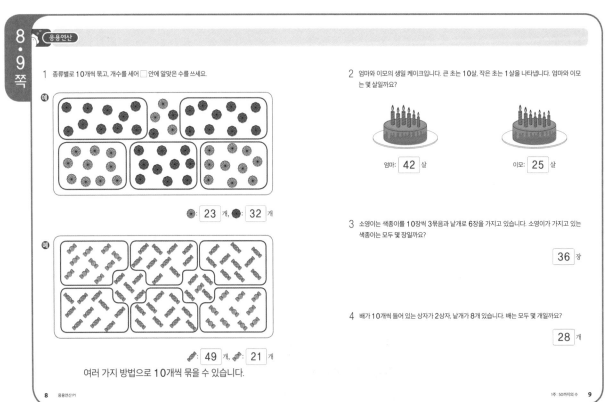

1 종류별로 10개씩 묶고, 개수를 세어 ☐ 안에 알맞은 수를 쓰세요.

예

✲ : **23** 개, ● : **32** 개

예

🍬 : **49** 개, 🍬 : **21** 개

여러 가지 방법으로 10개씩 묶을 수 있습니다.

2 엄마와 이모의 생일 케이크입니다. 큰 초는 10살, 작은 초는 1살을 나타냅니다. 엄마와 이모는 몇 살일까요?

엄마 : **42** 살

이모 : **25** 살

3 소영이는 색종이를 10장씩 3묶음과 낱개로 6장을 가지고 있습니다. 소영이가 가지고 있는 색종이는 모두 몇 장일까요?

36 장

4 배가 10개씩 들어 있는 상자가 2상자, 낱개가 8개 있습니다. 배는 모두 몇 개일까요?

28 개

066 50까지 수의 순서

1부터 50까지의 수 배열표입니다. 빈칸을 채워 봅시다.

1	2	3	4	5	6	7	8	9	10
11	12	13	14	15	16	17	18	19	20
21	22	23	24	25	26	27	28	29	30
31	32	33	34	35	36	37	38	39	40
41	42	43	44	45	46	47	48	49	50

오른쪽으로 갈수록 일의 자리 숫자가 1씩 커지고 아래쪽으로 갈수록 십의 자리 숫자가 1씩 커집니다.

5	6	7	8	9	10
15	16	17	18	19	20
25	26	27	28	29	30
35	36	37	38	39	40

11	12	13	14	15	16
21	22	23	24	25	26
31	32	33	34	35	36
41	42	43	44	45	46

13	14	15	16	17	18
23	24	25	26	27	28
33	34	35	36	37	38
43	44	45	46	47	48

14	15	16	17	18	19
24	25	26	27	28	29
34	35	36	37	38	39
44	45	46	47	48	49

24 — 25 26 27 — 28
37 — 38 39 40 — 41

46 — 47 48 49 — 50
19 — 20 21 22 — 23

32 — 33 34 35 — 36
45 — 46 47 48 — 49

28 — 29 30 31 — 32
39 — 40 41 42 — 43

13 — 14 15 16 — 17
21 — 22 23 24 — 25

35 — 36 37 38 — 39
41 — 42 43 44 — 45

 응용연산

1 ●에 쓰인 수가 작은 수부터 순서대로 쓰세요.

37 35 33 36 34
33 34 35 36 37

32 30 31 28 29
28 29 30 31 32

17 15 18 19 16
15 16 17 18 19

42 44 45 43 41
41 42 43 44 45

2 규칙을 찾아 빈칸에 알맞은 수를 쓰세요.

25	26	28	31	35
27	29	32	36	40
30	33	37	41	44
34	38	42	45	47
39	43	46	48	49

15	16	17	18	19
30	31	32	33	20
29	38	39	34	21
28	37	36	35	22
27	26	25	24	23

3 빈칸에 알맞은 수를 쓰세요.

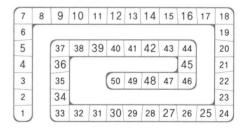

7	8	9	10	11	12	13	14	15	16	17	18
6											19
5		37	38	39	40	41	42	43	44		20
4		36							45		21
3		35		50	49	48	47	46			22
2		34									23
1		33	32	31	30	29	28	27	26	25	24

4 주희네 가족 4명이 영화관에 나란히 앉아 있습니다. 가족들의 좌석 번호 중 가장 작은 번호가 17번입니다. 주희네 가족의 좌석 번호를 모두 쓰세요.

17 번, 18 번, 19 번, 20 번

5 동호네 반 학생들이 체육관에 들어가기 위해 번호 순으로 줄을 섰습니다. 동호는 38번, 지호는 43번입니다. 두 사람 사이에 있는 학생들의 번호를 모두 쓰세요.

39 번, 40 번, 41 번, 42 번

14·15 쪽

3일 067 1씩, 10씩 앞으로 세기

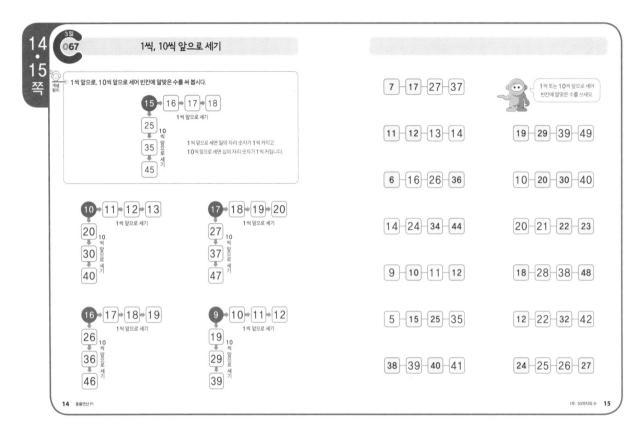

16·17 쪽

응용연산

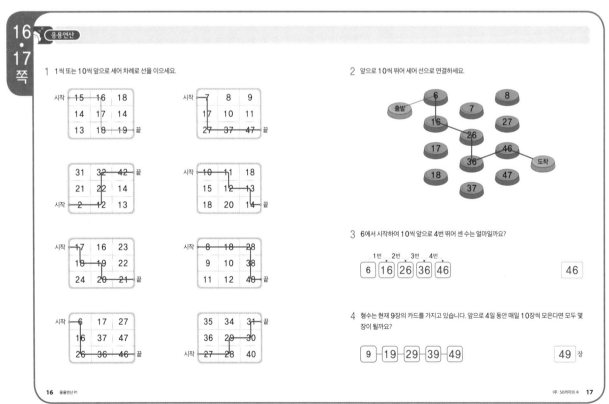

1 1씩 또는 10씩 앞으로 세어 차례로 선을 이으세요.

2 앞으로 10씩 뛰어 세어 선으로 연결하세요.

3 6에서 시작하여 10씩 앞으로 4번 뛰어 센 수는 얼마일까요?

1번 2번 3번 4번
6 16 26 36 46   46

4 형수는 현재 9장의 카드를 가지고 있습니다. 앞으로 4일 동안 매일 10장씩 모은다면 모두 몇 장이 될까요?

9 19 29 39 49   49 장

C 068 4일 1 큰 수, 10 큰 수

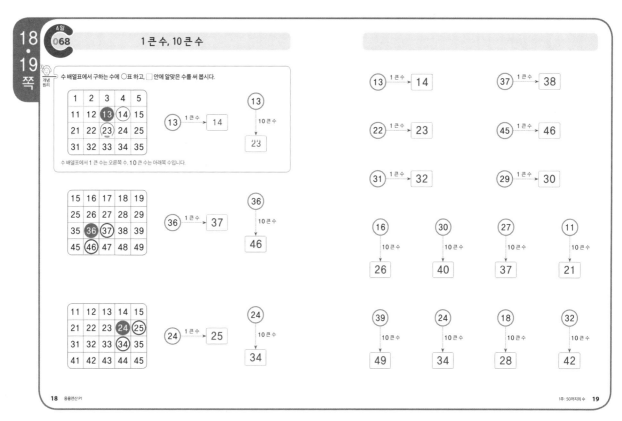

수 배열표에서 구하는 수에 ○표 하고, □ 안에 알맞은 수를 써 봅시다.

1	2	3	4	5
11	12	**13**	⑭	15
21	22	㉓	24	25
31	32	33	34	35

13 ─1 큰 수→ 14

13 ⋯10 큰 수→ 23

수 배열표에서 1 큰 수는 오른쪽 수, 10 큰 수는 아래쪽 수입니다.

15	16	17	18	19
25	26	27	28	29
35	**36**	㊲	38	39
45	㊻	47	48	49

36 ─1 큰 수→ 37

36 ⋯10 큰 수→ 46

11	12	13	14	15
21	22	23	㉔	㉕
31	32	33	㉞	35
41	42	43	44	45

24 ─1 큰 수→ 25

24 ⋯10 큰 수→ 34

13 ─1 큰 수→ 14   37 ─1 큰 수→ 38

22 ─1 큰 수→ 23   45 ─1 큰 수→ 46

31 ─1 큰 수→ 32   29 ─1 큰 수→ 30

16 ⋯10 큰 수→ 26   30 ⋯10 큰 수→ 40   27 ⋯10 큰 수→ 37   11 ⋯10 큰 수→ 21

39 ⋯10 큰 수→ 49   24 ⋯10 큰 수→ 34   18 ⋯10 큰 수→ 28   32 ⋯10 큰 수→ 42

응용연산

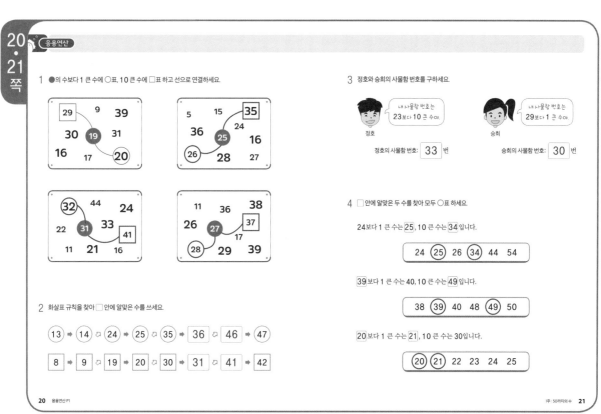

1 ●의 수보다 1 큰 수에 ○표, 10 큰 수에 □표 하고 선으로 연결하세요.

29 / 9 / 39 / 30 / **19** / 31 / 16 / 17 / 20

5 / 15 / 35 / 36 / **25** / 24 / 26 / 28 / 16 / 27

32 / 44 / 24 / 22 / **31** / 33 / 41 / 11 / 21 / 16

11 / 36 / 38 / 26 / **27** / 37 / 17 / 28 / 29 / 39

2 화살표 규칙을 찾아 □안에 알맞은 수를 쓰세요.

13 ➡ 14 ↗ 24 ➡ 25 ↗ 35 ➡ 36 ↗ 46 ➡ 47

8 ➡ 9 ↗ 19 ➡ 20 ↗ 30 ➡ 31 ↗ 41 ➡ 42

3 정호와 승희의 사물함 번호를 구하세요.

정호: 내 사물함 번호는 23보다 10 큰 수야.

승희: 내 사물함 번호는 29보다 1 큰 수야.

정호의 사물함 번호: 33 번

승희의 사물함 번호: 30 번

4 □ 안에 알맞은 두 수를 찾아 모두 ○표 하세요.

24보다 1 큰 수는 25, 10 큰 수는 34입니다.

24 ㉕ 26 ㉞ 44 54

39보다 1 큰 수는 40, 10 큰 수는 49입니다.

38 ㊴ 40 48 ㊾ 50

20보다 1 큰 수는 21, 10 큰 수는 30입니다.

⑳ ㉑ 22 23 24 25

22·23쪽

1 종류별로 10개씩 묶고, 개수를 세어 ☐ 안에 알맞은 수를 쓰세요.

✏ : 37 개 🖊 : 22 개

여러 가지 방법으로 10개씩 묶을 수 있습니다.

2 자두가 10개씩 들어 있는 상자가 3상자, 낱개가 7개 있습니다. 자두는 모두 몇 개일까요?

37 개

3 ●에 쓰인 수가 작은 수부터 순서대로 쓰세요.

35 36 37 38 39

18 19 20 21 22

4 규칙을 찾아 빈칸에 알맞은 수를 쓰세요.

12	13	14	15	16
21	20	19	18	17
22	23	24	25	26
31	30	29	28	27
32	33	34	35	36

5 1씩 또는 10씩 앞으로 세어 차례로 선을 이으세요.

6 7에서 시작하여 10씩 앞으로 4번 뛰어 센 수는 얼마일까요?

1번 2번 3번 4번
7 17 27 37 47

47

24쪽

7 ●의 수보다 1 큰 수에 ○표, 10 큰 수에 ☐표 하고 선으로 연결하세요.

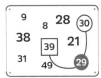

8 ☐ 안에 알맞은 두 수를 찾아 모두 ○표 하세요.

19 보다 1 큰 수는 20, 10 큰 수는 29입니다.

18 ⑲ ⑳ 28 30 39

9 호성이는 다음 그림의 밤의 수보다 10 큰 수를 공책에 썼습니다. 호성이가 공책에 쓴 수는 얼마일까요?

28

덧셈하기

26·27쪽

1일 069 더하기 1, 더하기 10

그림을 보고 덧셈을 해 봅시다.

29 / 39 → 10 큰 수

29 +10 = 39

29+10의 계산 결과는 29보다 10 큰 수와 같습니다

39 / 40 → 1 큰 수   39 +1 = 40

26 / 36 → 10 큰 수   26 +10 = 36

18 / 28 → 10 큰 수   18 +10 = 28

42 / 43 → 1 큰 수   42 +1 = 43

36 / 37 → 1 큰 수   36 +1 = 37

15 / 25 → 10 큰 수   15 +10 = 25

24 + 1 = 25   38 + 10 = 48   37 + 1 = 38

15 + 10 = 25   41 + 1 = 42   11 + 10 = 21

29 + 1 = 30   24 + 10 = 34   46 + 1 = 47

17 + 10 = 27   31 + 1 = 32   22 + 10 = 32

```
   2 0          2 8          3 3
 + 1 0        +   1        + 1 0
   3 0          2 9          4 3
```

```
   3 9          1 8          2 2
 +   1        + 1 0        +   1
   4 0          2 8          2 3
```

28·29쪽

응용연산

1 계산에 맞게 선을 그으세요.

 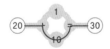

 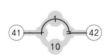

2 관계있는 것끼리 선으로 이으세요.

+10		+1		+10	
11	34	31	26	15	17
24	21	25	20	23	25
36	46	19	32	7	33

3 그림을 보고 물음에 맞게 ☐ 안에 알맞은 수를 쓰세요.

사과   딸기   참외

딸기와 참외는 모두 몇 개일까요?

식 10 + 1 = 11   답 11 개

사과와 참외는 모두 몇 개일까요?

식 14 + 1 = 15   답 15 개

사과와 딸기는 모두 몇 개일까요?

식 14 + 10 = 24   답 24 개

4 진우는 6살입니다. 진우의 형은 진우보다 10살이 많습니다. 진우의 형은 몇 살일까요?

식 6 + 10 = 16   답 16 살

5 진형이네 반은 24명이었는데 1명이 전학 왔습니다. 진형이네 반은 몇 명이 되었을까요?

식 24 + 1 = 25   답 25 명

30·31쪽

2일 **070** 1 더하기, 10 더하기

개념원리

두 수를 바꾸어 더해 봅시다.

$25 + 10 = \boxed{35}$
$10 + 25 = \boxed{35}$

두 수를 바꾸어 더해도 그 결과는 같습니다.

$29 + 1 = \boxed{30}$
$1 + 29 = \boxed{30}$

$17 + 10 = \boxed{27}$
$10 + 17 = \boxed{27}$

$34 + 10 = \boxed{44}$
$10 + 34 = \boxed{44}$

$45 + 1 = \boxed{46}$
$1 + 45 = \boxed{46}$

$15 + 1 = \boxed{16}$
$1 + 15 = \boxed{16}$

$23 + 10 = \boxed{33}$
$10 + 23 = \boxed{33}$

$32 + 10 = \boxed{42}$
$10 + 32 = \boxed{42}$

$47 + 1 = \boxed{48}$
$1 + 47 = \boxed{48}$

$14 + 1 = \boxed{15}$
$1 + 14 = \boxed{15}$

$28 + 10 = \boxed{38}$
$10 + 28 = \boxed{38}$

$32 + 10 = \boxed{42}$
$10 + 32 = \boxed{42}$

$21 + 1 = \boxed{22}$
$1 + 21 = \boxed{22}$

$44 + 1 = \boxed{45}$
$1 + 44 = \boxed{45}$

$19 + 10 = \boxed{29}$
$10 + 19 = \boxed{29}$

$24 + 10 = \boxed{34}$
$10 + 24 = \boxed{34}$

$18 + 1 = \boxed{19}$
$1 + 18 = \boxed{19}$

$11 + 1 = \boxed{12}$
$1 + 11 = \boxed{12}$

$36 + 10 = \boxed{46}$
$10 + 36 = \boxed{46}$

32·33쪽

응용연산

1 가로, 세로로 두 수의 합에 맞게 빈칸에 알맞은 수를 쓰세요.

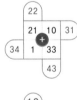

2 안쪽 수와 바깥쪽 수를 더해 □ 안에 알맞은 수를 쓰세요.

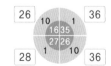

3 주어진 수를 이용하여 덧셈식 2개를 만드세요.

24 14 10
$\boxed{14} + \boxed{10} = \boxed{24}$
$\boxed{10} + \boxed{14} = \boxed{24}$

1 35 36
$\boxed{35} + \boxed{1} = \boxed{36}$
$\boxed{1} + \boxed{35} = \boxed{36}$

4 빨간색 구슬이 10개, 파란색 구슬이 33개 있습니다. 구슬은 모두 몇 개일까요?

식 $\boxed{10} + \boxed{33} = \boxed{43}$ 답 $\boxed{43}$ 개

5 윤호와 정수는 우표를 모으는데 윤호는 19장을 가지고 있고 정수는 윤호보다 1장을 더 가지고 있습니다. 정수가 가진 우표는 몇 장일까요?

식 $\boxed{19} + \boxed{1} = \boxed{20}$ 답 $\boxed{20}$ 장

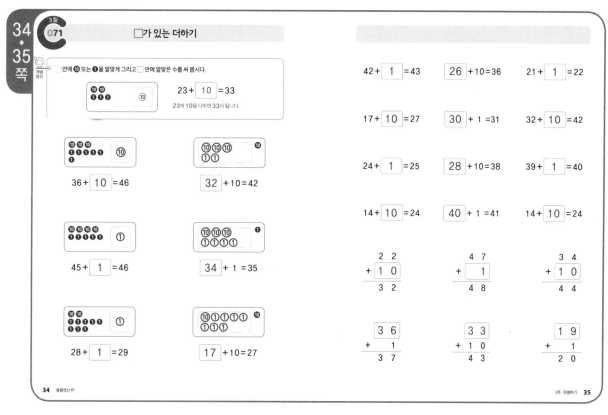

3일
C 071 □가 있는 더하기

□ 안에 ❿ 또는 ❶을 알맞게 그리고 □ 안에 알맞은 수를 써 봅시다.

23+ 10 =33
23에 10을 더하면 33이 됩니다.

36+ 10 =46

32 +10=42

45+ 1 =46

34 + 1 = 35

28+ 1 =29

17 +10=27

42+ 1 =43   26 +10=36   21+ 1 =22

17+ 10 =27   30 + 1 =31   32+ 10 =42

24+ 1 =25   28 +10=38   39+ 1 =40

14+ 10 =24   40 + 1 =41   14+ 10 =24

```
  2 2        4 7        3 4
+ 1 0      +   1      + 1 0
─────      ─────      ─────
  3 2        4 8        4 4
```

```
  3 6        3 3        1 9
+   1      + 1 0      +   1
─────      ─────      ─────
  3 7        4 3        2 0
```

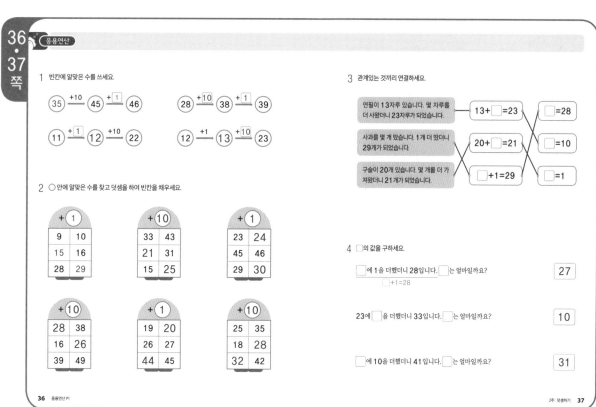

응용연산

1 빈칸에 알맞은 수를 쓰세요.

(35) —+10→ (45) —+1→ (46)   (28) —+10→ (38) —+1→ (39)

(11) —+1→ (12) —+10→ (22)   (12) —+1→ (13) —+10→ (23)

2 ○ 안에 알맞은 수를 찾고 덧셈을 하여 빈칸을 채우세요.

+1	
9	10
15	16
28	29

+10	
33	43
21	31
15	25

+1	
23	24
45	46
29	30

+10	
28	38
16	26
39	49

+1	
19	20
26	27
44	45

+10	
25	35
18	28
32	42

3 관계있는 것끼리 연결하세요.

연필이 13자루 있습니다. 몇 자루를 더 사왔더니 23자루가 되었습니다.   13+□=23   □=28

사과를 몇 개 땄습니다. 1개 더 땄더니 29개가 되었습니다.   20+□=21   □=10

구슬이 20개 있습니다. 몇 개를 더 가져왔더니 21개가 되었습니다.   □+1=29   □=1

4 □의 값을 구하세요.

□에 1을 더했더니 28입니다. □는 얼마일까요?
□+1=28   27

23에 □을 더했더니 33입니다. □는 얼마일까요?   10

□에 10을 더했더니 41입니다. □는 얼마일까요?   31

38·39쪽

072 세 수의 덧셈

그림을 보고 덧셈을 해 봅시다.

$12+10+1=\boxed{23}$

$\boxed{22}+1$

$\boxed{23}$

앞의 두 수 12와 10을 더한 값 22에 마지막 수 1을 더합니다.

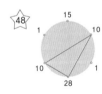
$10+18+1=\boxed{29}$
$\boxed{28}+1$
29

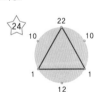
$32+1+10=\boxed{43}$
$\boxed{33}+10$
43

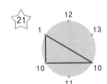
$15+10+10=\boxed{35}$
$\boxed{25}+10$
35

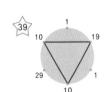
$19+1+1=\boxed{21}$
$\boxed{20}+1$
21

$24+10+1=\boxed{35}$ $14+1+10=\boxed{25}$

$31+1+10=\boxed{42}$ $20+10+1=\boxed{31}$

$10+33+1=\boxed{44}$ $1+19+10=\boxed{30}$

$21+1+10=\boxed{32}$ $16+10+10=\boxed{36}$

$1+28+10=\boxed{39}$ $25+1+10=\boxed{36}$

$34+10+1=\boxed{45}$ $10+22+1=\boxed{33}$

$29+1+1=\boxed{31}$ $24+10+10=\boxed{44}$

$10+11+1=\boxed{22}$ $27+1+10=\boxed{38}$

40·41쪽

응용연산

1 연결된 세 수의 합이 ☆ 안의 수가 되도록 삼각형을 그리세요.

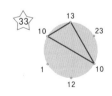

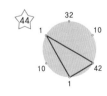

2 사다리를 타고 내려가는 길의 계산에 맞게 빈칸에 알맞은 수를 쓰세요.

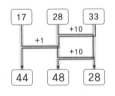

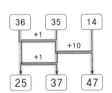

3 동물원에 여우 14마리, 코끼리 1마리, 사슴 10마리가 있습니다. 동물원에 있는 동물은 모두 몇 마리일까요?

식 $\boxed{14}+\boxed{1}+\boxed{10}=\boxed{25}$ 답 $\boxed{25}$ 마리

4 위인전이 32권, 동화책이 10권, 만화책이 1권 있습니다. 책은 모두 몇 권일까요?

식 $\boxed{32}+\boxed{10}+\boxed{1}=\boxed{43}$ 답 $\boxed{43}$ 권

형성평가

1 계산에 맞게 선을 그으세요.

2 현성이는 7살입니다. 현성이의 누나는 현성이보다 10살이 많습니다. 현성이의 누나는 몇 살일까요?

식 $7 + 10 = 17$ 답 17 살

3 가로, 세로로 두 수의 합을 빈칸에 쓰세요.

4 선호와 현우는 엽서를 모으는데 선호는 24장을 가지고 있고 현우는 선호보다 10장을 더 가지고 있습니다. 현우가 가진 엽서는 몇 장일까요?

식 $24 + 10 = 34$ 답 34 장

5 ○안에 알맞은 수를 찾고 덧셈을 하여 빈칸을 채우세요.

6 ☐에 10을 더했더니 45입니다. ☐는 얼마일까요?

35

7 덧셈을 하세요.

$13 + 10 + 1 = $ 24 $38 + 1 + 10 = $ 49

$27 + 1 + 10 = $ 38 $16 + 10 + 1 = $ 27

8 연결된 세 수의 합이 ☆ 안의 수가 되도록 삼각형을 그리세요.

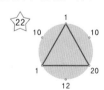

9 바구니에 사과 20개, 수박 1개, 딸기 10개가 있습니다. 바구니에 들어 있는 과일은 모두 몇 개일까요?

식 $20 + 10 + 1 = 31$ 답 31 개

뺄셈하기

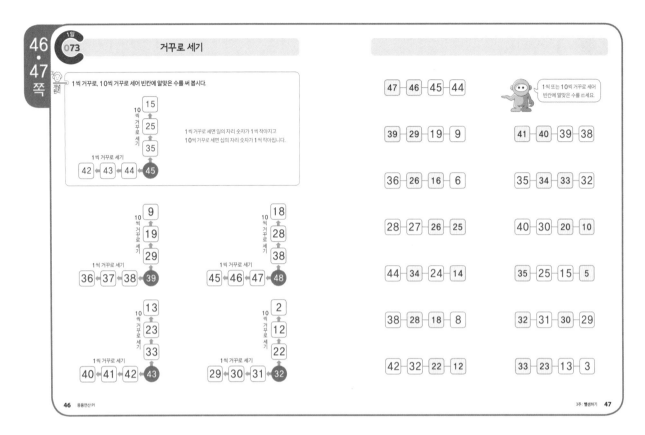

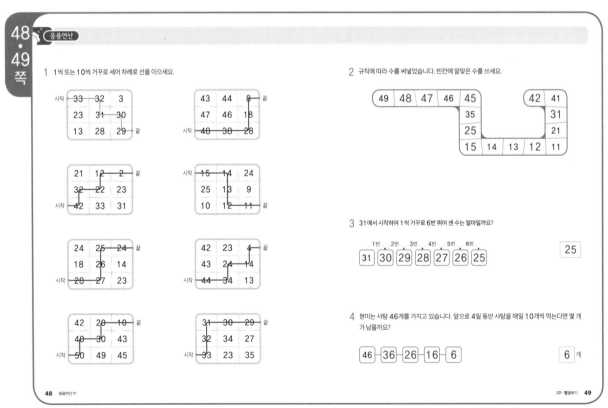

12 응용연산 P1

2일 074

1 작은 수, 10 작은 수

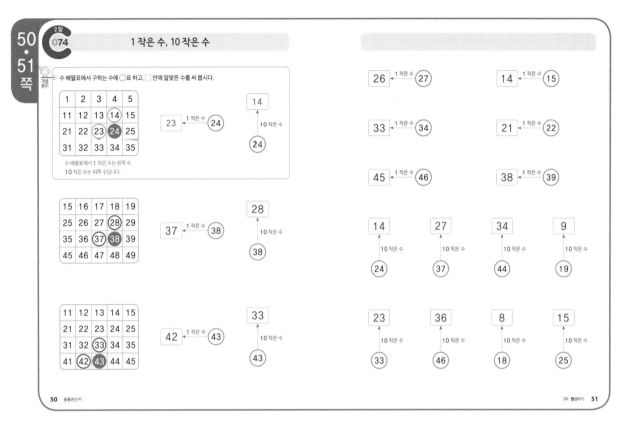

응용연산

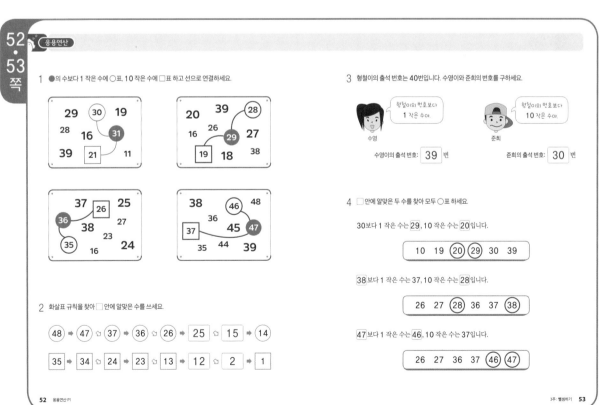

정답 및 해설 **13**

54·55쪽

빼기 1, 빼기 10

개념원리 ⑩ 또는 ❶을 하나 지우고 뺄셈해 봅시다.

⑩⑩⑩ / ❶❶❶❶❶ → 25 / 35 10 작은 수

$35 - 10 = 25$

35-10의 계산 결과는 35보다 10 작은 수와 같습니다.

⑩⑩⑩ / ❶❶❶❶❶ / ❶❶❶❶❶ → 39 / 40 1 작은 수

$40 - 1 = 39$

⑩⑩❶ / ❶❶❶❶❶ / ❶❶ → 27 / 37 10 작은 수

$37 - 10 = 27$

⑩❶ / ❶❶❶❶❶ / ❶❶❶❶ → 19 / 29 10 작은 수

$29 - 10 = 19$

⑩❶❶ / ❶❶❶ → 23 / 24 1 작은 수

$24 - 1 = 23$

⑩⑩⑩⑩ / ❶❶❶ → 42 / 43 1 작은 수

$43 - 1 = 42$

⑩⑩❶ / ❶❶❶❶❶ → 25 / 35 10 작은 수

$35 - 10 = 25$

$38 - 1 = \boxed{37}$ 　$34 - 10 = \boxed{24}$ 　$34 - 1 = \boxed{33}$

$26 - 10 = \boxed{16}$ 　$23 - 1 = \boxed{22}$ 　$22 - 10 = \boxed{12}$

$15 - 1 = \boxed{14}$ 　$39 - 10 = \boxed{29}$ 　$46 - 1 = \boxed{45}$

$45 - 10 = \boxed{35}$ 　$18 - 1 = \boxed{17}$ 　$28 - 10 = \boxed{18}$

$$\begin{array}{r} 3\ 3 \\ -\ 1\ 0 \\ \hline \boxed{2\ 3} \end{array} \qquad \begin{array}{r} 4\ 2 \\ -\ \ \ 1 \\ \hline \boxed{4\ 1} \end{array} \qquad \begin{array}{r} 2\ 7 \\ -\ 1\ 0 \\ \hline \boxed{1\ 7} \end{array}$$

$$\begin{array}{r} 4\ 4 \\ -\ \ \ 1 \\ \hline \boxed{4\ 3} \end{array} \qquad \begin{array}{r} 2\ 8 \\ -\ 1\ 0 \\ \hline \boxed{1\ 8} \end{array} \qquad \begin{array}{r} 3\ 6 \\ -\ \ \ 1 \\ \hline \boxed{3\ 5} \end{array}$$

56·57쪽

응용연산

1 계산에 맞게 선을 그으세요.

30 — 1/10 — 20

32 — 1/10 — 31

46 — 1/10 — 36

21 — 1/10 — 20

18 — 1/10 — 17

43 — 1/10 — 33

2 관계있는 것끼리 선으로 이으세요

−1		−10		−1	
34	44	25	24	32	25
44	43	34	37	26	31
45	33	47	15	20	19

3 수 카드를 이용하여 만들 수 있는 두 수의 뺄셈식을 모두 쓰고 계산하세요.

| 29 | 10 | 1 |

$\boxed{29} - \boxed{1} = \boxed{28}$

$\boxed{29} - \boxed{10} = \boxed{19}$

$\boxed{10} - \boxed{1} = \boxed{9}$

4 공원에 비둘기 28마리가 앉아 있습니다. 그중 10마리가 날아갔습니다. 공원에 남아 있는 비둘기는 몇 마리일까요?

식 $\boxed{28} - \boxed{10} = \boxed{18}$ 　답 $\boxed{18}$ 마리

5 구슬이 33개 있습니다. 그중 1개를 동생에게 주었습니다. 남은 구슬은 몇 개일까요?

식 $\boxed{33} - \boxed{1} = \boxed{32}$ 　답 $\boxed{32}$ 개

58·59쪽

4일 076 □가 있는 빼기

빼는 수만큼 /로 지우고, □ 안에 알맞은 수를 써 봅시다.

$37 - \boxed{10} = 27$

37에서 27을 남기고 지우려면
/로 10만큼 지워야 합니다.

$\boxed{48} - 1 = 47$

빼는 수 1만큼 /로 지우면
48에서 남은 수는 47이 됩니다.

$25 - \boxed{10} = 15$

$35 - 1 = \boxed{34}$

$34 - \boxed{1} = 33$

$23 - 10 = \boxed{13}$

$28 - \boxed{1} = 27$

$39 - 10 = \boxed{29}$

$25 - \boxed{10} = 15$　$\boxed{19} - 1 = 18$　$28 - \boxed{10} = 18$

$37 - \boxed{1} = 36$　$\boxed{23} - 10 = 13$　$47 - \boxed{1} = 46$

$42 - \boxed{10} = 32$　$\boxed{29} - 1 = 28$　$32 - \boxed{10} = 22$

$44 - \boxed{1} = 43$　$\boxed{34} - 10 = 24$　$21 - \boxed{1} = 20$

$$\begin{array}{r} 3\ 9 \\ - \boxed{1\ 0} \\ \hline 2\ 9 \end{array}$$
$$\begin{array}{r} 4\ 1 \\ - \boxed{\ \ 1} \\ \hline 4\ 0 \end{array}$$
$$\begin{array}{r} 3\ 6 \\ - \boxed{1\ 0} \\ \hline 2\ 6 \end{array}$$

$$\begin{array}{r} \boxed{2\ 7} \\ - \ \ 1 \\ \hline 2\ 6 \end{array}$$
$$\begin{array}{r} \boxed{3\ 2} \\ - 1\ 0 \\ \hline 2\ 2 \end{array}$$
$$\begin{array}{r} \boxed{4\ 0} \\ - \ \ 1 \\ \hline 3\ 9 \end{array}$$

58 응용연산 P1　　3주·뺄셈하기 59

60·61쪽

응용연산

1 빈칸에 알맞은 수를 쓰세요.

$24 \xrightarrow{-1} 23 \xrightarrow{-10} 13$　　$47 \xrightarrow{-10} 37 \xrightarrow{-1} 36$

$34 \xrightarrow{-10} 24 \xrightarrow{-1} 23$　　$15 \xrightarrow{-1} 14 \xrightarrow{-10} 4$

2 ○ 안에 알맞은 수를 찾고 뺄셈을 하여 빈칸을 채우세요.

-10	
26	16
45	35
24	14

-1	
46	45
27	26
14	13

-10	
34	24
33	23
40	30

-1	
28	27
42	41
33	32

-10	
20	10
37	27
45	35

-1	
37	36
24	23
16	15

3 □가 나타내는 수를 구하세요.

□에서 1을 뺐더니 31입니다. □는 얼마일까요?
　□ - 1 = 31
　　　　　　　$\boxed{32}$

47에서 □을 뺐더니 37입니다. □는 얼마일까요?
　　　　　　　$\boxed{10}$

4 수가 요술 상자에 들어가면 다른 수로 바뀌어 나옵니다. 물음에 답하세요.

24는 어떤 수로 바뀔까요?

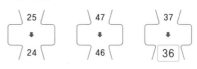

18 → 8　　42 → 32　　24 → $\boxed{14}$

37은 어떤 수로 바뀔까요?

25 → 24　　47 → 46　　37 → $\boxed{36}$

60 응용연산 P1　　3주·뺄셈하기 61

형성평가

1 1씩 또는 10씩 거꾸로 세어 차례로 선을 이으세요.

시작 43 - 33 - 32
44 23 13
42 22 3 끝

37 27 8 끝
38 28 18
시작 48 29 17

2 34에서 시작하여 1씩 거꾸로 5번 뛰어 센 수는 얼마일까요?

1번 2번 3번 4번 5번
34 33 32 31 30 29

29

3 ●의 수보다 1 작은 수에 ○표, 10 작은 수에 □표 하고 선으로 연결하세요.

27 17 26
38 25 38
37
35 47 36

4 1 작은 수를 쓰세요

20 ←1 작은 수 21

41 ←1 작은 수 42

5 진영이의 출석 번호는 33번입니다. 정호의 출석 번호는 몇 번일까요?

진영이의 번호 보다 10 작은 수야.

정호

정호의 출석 번호: 23 번

6 관계있는 것끼리 선으로 이으세요.

−10
31 38
48 17
27 21

−1
15 14
26 29
30 25

7 꽃밭에 꿀벌 36마리가 앉아 있습니다. 그중 10마리가 날아갔습니다. 꽃밭에 남아 있는 꿀벌은 몇 마리일까요?

식 36 − 10 = 26   답 26 마리

8 ○안에 알맞은 수를 찾고 뺄셈을 하여 빈칸을 채우세요.

−1
32 31
27 26
43 42

−10
34 24
16 6
28 18

−10
28 18
45 35
34 24

9 ☐에서 10을 빼면 22입니다. ☐는 얼마일까요?

32

더하기와 빼기

1일 077 더하기와 빼기

수 배열표의 빈칸에 알맞은 수를 쓰고 계산을 해 봅시다.

12		14		16
	23	**24**	25	
32		34		36

24 + 1 = 25
24 − 1 = 23
24 + 10 = 34
24 − 10 = 14

+1은 오른쪽 수, −1은 왼쪽 수,
+10은 아래쪽 수, −10은 위쪽 수입니다.

26	27		29
	36	**37**	38
45		47		49

37 + 1 = 38
37 − 1 = 36
37 + 10 = 47
37 − 10 = 27

	3	4	
12	**13**	14	15
21		23		25

13 + 1 = 14
13 − 1 = 12
13 + 10 = 23
13 − 10 = 3

36 + 1 = 37   41 − 10 = 31   24 + 10 = 34

19 − 10 = 9   22 + 10 = 32   13 − 1 = 12

28 + 1 = 29   32 − 1 = 31   33 + 10 = 43

39 − 10 = 29   26 + 10 = 36   17 − 1 = 16

```
  3 0        2 9        2 4
+ 1 0      −   1      + 1 0
─────      ─────      ─────
  4 0        2 8        3 4
```

```
  3 7        3 1        2 3
−   1      + 1 0      −   1
─────      ─────      ─────
  3 6        4 1        2 2
```

응용연산

1 왼쪽은 두 수의 합, 오른쪽은 두 수의 차입니다. 두 수를 찾아 모두 ○표 하세요.

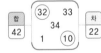

합 42 / 차 22 — 32 33 34 1 ⑩

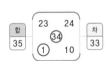

합 35 / 차 33 — 23 24 ㉞ ① 10

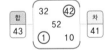

합 43 / 차 41 — 32 ㊷ 52 ① 10

합 36 / 차 16 — 16 ㉖ 6 1 ⑩

합 42 / 차 22 — ㉜ 33 34 1 ⑩

합 23 / 차 21 — 20 21 ㉒ ① 10

합 32 / 차 30 — ㉚ ㉛ 32 ① 10

합 34 / 차 14 — 14 ㉔ 25 1 ⑩

2 주어진 수를 빈칸에 써넣어 덧셈식 2개와 뺄셈식 2개를 만드세요.

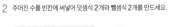
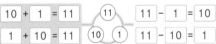

10 + 1 = 11   (11)   11 − 1 = 10

1 + 10 = 11   (10) (1)   11 − 10 = 1

3 다음을 보고, 물음에 답하세요.

> 자전거 가게에는 두발자전거 17대, 세발자전거 10대가 있습니다.

자전거는 모두 몇 대 있을까요?

식 17+10=27   답 27 대

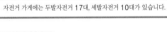

두발자전거는 세발자전거보다 몇 대 더 많을까요?

식 17−10=7   답 7 대

70·71 쪽

2일 C 078 □가 있는 더하기와 빼기

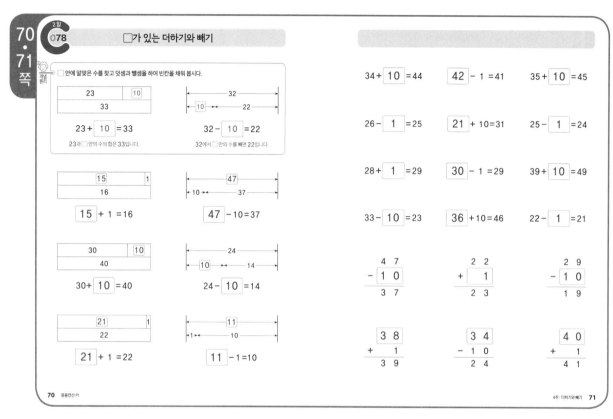

□안에 알맞은 수를 찾고 덧셈과 뺄셈을 하여 빈칸을 채워 봅시다.

23		10
33		

$23 + \boxed{10} = 33$

23과 □안의 수의 합은 33입니다.

32 ─── 32 ───
─ 10 ──── 22 ──

$32 - \boxed{10} = 22$

32에서 □안의 수를 빼면 22입니다.

	15		1
	16		

$\boxed{15} + 1 = 16$

─── 47 ───
─ 10 ── 37 ─

$\boxed{47} - 10 = 37$

30		10
40		

$30 + \boxed{10} = 40$

─── 24 ───
─ 10 ── 14 ─

$24 - \boxed{10} = 14$

	21		1
	22		

$\boxed{21} + 1 = 22$

─── 11 ───
1 ── 10 ──

$\boxed{11} - 1 = 10$

$34 + \boxed{10} = 44$ 　 $\boxed{42} - 1 = 41$ 　 $35 + \boxed{10} = 45$

$26 - \boxed{1} = 25$ 　 $\boxed{21} + 10 = 31$ 　 $25 - \boxed{1} = 24$

$28 + \boxed{1} = 29$ 　 $\boxed{30} - 1 = 29$ 　 $39 + \boxed{10} = 49$

$33 - \boxed{10} = 23$ 　 $\boxed{36} + 10 = 46$ 　 $22 - \boxed{1} = 21$

$$\begin{array}{r} 4\ 7 \\ -\ \boxed{1\ 0} \\ \hline 3\ 7 \end{array} \qquad \begin{array}{r} 2\ 2 \\ +\ \boxed{\ 1} \\ \hline 2\ 3 \end{array} \qquad \begin{array}{r} 2\ 9 \\ -\ \boxed{1\ 0} \\ \hline 1\ 9 \end{array}$$

$$\begin{array}{r} 3\ 8 \\ +\ \boxed{\ 1} \\ \hline 3\ 9 \end{array} \qquad \begin{array}{r} 3\ 4 \\ -\ \boxed{1\ 0} \\ \hline 2\ 4 \end{array} \qquad \begin{array}{r} 4\ 0 \\ +\ \boxed{\ 1} \\ \hline 4\ 1 \end{array}$$

72·73 쪽

응용연산

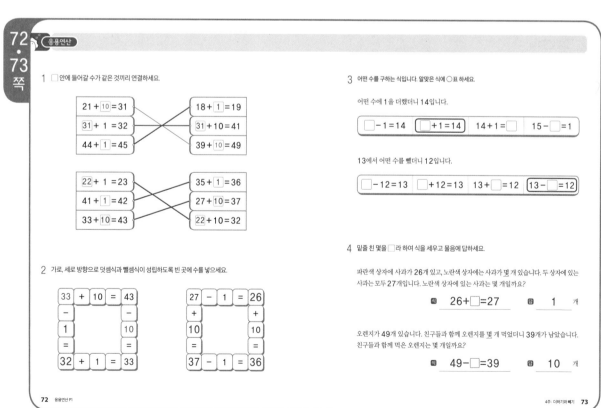

1 □안에 들어갈 수가 같은 것끼리 연결하세요.

$21 + \boxed{10} = 31$　　$18 + \boxed{1} = 19$
$\boxed{31} + 1 = 32$　　$\boxed{31} + 10 = 41$
$44 + \boxed{1} = 45$　　$39 + \boxed{10} = 49$

$\boxed{22} + 1 = 23$　　$35 + \boxed{1} = 36$
$41 + \boxed{1} = 42$　　$27 + \boxed{10} = 37$
$33 + \boxed{10} = 43$　　$\boxed{22} + 10 = 32$

2 가로, 세로 방향으로 덧셈식과 뺄셈식이 성립하도록 빈 곳에 수를 넣으세요.

33	+	10	=	43
−				−
1				10
=				=
32	+	1	=	33

27	−	1	=	26
+				+
10				10
=				=
37	−	1	=	36

3 어떤 수를 구하는 식입니다. 알맞은 식에 ○표 하세요.

어떤 수에 1을 더했더니 14입니다.

$\boxed{\ } - 1 = 14$ 　 $\boxed{(\boxed{\ } + 1 = 14)}$ 　 $14 + 1 = \boxed{\ }$ 　 $15 - \boxed{\ } = 1$

13에서 어떤 수를 뺐더니 12입니다.

$\boxed{\ } - 12 = 13$ 　 $\boxed{\ } + 12 = 13$ 　 $13 + \boxed{\ } = 12$ 　 $\boxed{(13 - \boxed{\ } = 12)}$

4 밑줄 친 몇을 □라 하여 식을 세우고 물음에 답하세요.

파란색 상자에 사과가 26개 있고, 노란색 상자에는 사과가 몇 개 있습니다. 두 상자에 있는 사과는 모두 27개입니다. 노란색 상자에 있는 사과는 몇 개일까요?

식 $26 + \boxed{\ } = 27$ 　 답 1 개

오렌지가 49개 있습니다. 친구들과 함께 오렌지를 몇 개 먹었더니 39개가 남았습니다. 친구들과 함께 먹은 오렌지는 몇 개일까요?

식 $49 - \boxed{\ } = 39$ 　 답 10 개

74·75쪽

3일 C 079 세 수의 계산

그림을 보고 □ 안에 알맞은 수를 써 봅시다.

32 − 10 + 1
22 + 1 = 23

앞의 두 수를 먼저 계산한 다음 나머지 수를 계산합니다.

24 + 10 + 1
34 + 1 = 35

17 − 1 + 10
16 + 10 = 26

38 − 1 + 10
37 + 10 = 47

29 + 10 − 1
39 − 1 = 38

48 − 10 − 1
38 − 1 = 37

28 + 1 + 10
29 + 10 = 39

39 + 10 − 1
49 − 1 = 48

45 − 10 − 1
35 − 1 = 34

11 + 10 + 1 = 22   32 − 1 + 10 = 41

45 + 1 − 10 = 36   28 − 10 − 1 = 17

33 − 10 + 1 = 24   23 − 1 + 10 = 32

24 + 1 − 10 = 15   19 + 10 − 1 = 28

49 − 1 − 10 = 38   31 − 1 + 10 = 40

36 + 1 − 10 = 27   26 + 10 − 1 = 35

22 − 1 − 10 = 11   31 + 1 + 10 = 42

24 + 10 − 1 = 33   21 − 1 + 10 = 30

76·77쪽

응용연산

1 계산 결과에 맞게 길을 그리세요.

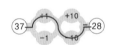

(23) +1 / −1 , +10 / −10 = (34)

(37) +1 / −1 , +10 / −10 = (28)

(15) +1 / +1 , +10 / −10 = (24)

(40) +1 / +1 , +10 / +10 = (29)

2 사다리를 타고 내려가는 길의 계산에 맞게 빈칸에 알맞은 수를 쓰세요.

| 24 | 46 | 32 |
| 23 | 25 | 36 |

−10, +1

| 36 | 45 | 27 |
| 35 | 28 | 27 |

−10, +1

3 사각형 안에 있는 수의 합이 모두 같습니다. 빈칸에 알맞은 수를 쓰세요.

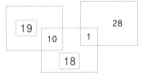

19   28
   10 1
      18

4 32명이 참가한 마라톤 대회가 열렸습니다. 먼저 1명이 결승선을 통과하였고 잠시 후에 10명이 더 결승선을 통과하였습니다. 아직 결승선을 통과하지 않은 선수는 몇 명일까요?

식 32 − 1 − 10 = 21   답 21 명

5 28명이 예방 주사를 맞으려고 병원에 왔습니다. 먼저 10명이 주사를 맞고, 잠시 후 1명이 더 주사를 맞았습니다. 아직 주사를 맞지 않은 사람은 몇 명일까요?

식 28 − 10 − 1 = 17   답 17 명

C080 수 만들기

수 사이에 + 또는 −를 여러 가지 방법으로 넣었습니다. 계산을 해 봅시다.

$34 + 1 + 10 = \boxed{45}$ $34 - 1 + 10 = \boxed{43}$

$34 + 1 - 10 = \boxed{25}$ $34 - 1 - 10 = \boxed{23}$

세 수의 계산을 할 때 +, −를 넣는 방법은 4가지가 있습니다.

$21 + 1 + 10 = \boxed{32}$ $38 + 1 + 10 = \boxed{49}$

$21 + 1 - 10 = \boxed{12}$ $38 + 1 - 10 = \boxed{29}$

$21 - 1 + 10 = \boxed{30}$ $38 - 1 + 10 = \boxed{47}$

$21 - 1 - 10 = \boxed{10}$ $38 - 1 - 10 = \boxed{27}$

$35 + 1 + 10 = \boxed{46}$ $29 + 1 + 10 = \boxed{40}$

$35 + 1 - 10 = \boxed{26}$ $29 + 1 - 10 = \boxed{20}$

$35 - 1 + 10 = \boxed{44}$ $29 - 1 + 10 = \boxed{38}$

$35 - 1 - 10 = \boxed{24}$ $29 - 1 - 10 = \boxed{18}$

$23 \oplus 1 \ominus 10 = 14$ $32 \oplus 1 \ominus 10 = 23$

$39 \ominus 1 \oplus 10 = 48$ $46 \ominus 1 \ominus 10 = 35$

$21 \oplus 1 \oplus 10 = 32$ $19 \ominus 1 \oplus 10 = 28$

$36 \ominus 1 \oplus 10 = 45$ $33 \oplus 1 \ominus 10 = 24$

$42 \oplus 1 \ominus 10 = 33$ $28 \ominus 1 \oplus 10 = 37$

$16 \oplus 1 \oplus 10 = 27$ $34 \oplus 1 \ominus 10 = 25$

$22 \ominus 1 \oplus 10 = 31$ $37 \ominus 1 \oplus 10 = 46$

$41 \ominus 1 \ominus 10 = 30$ $29 \oplus 1 \ominus 10 = 20$

응용연산

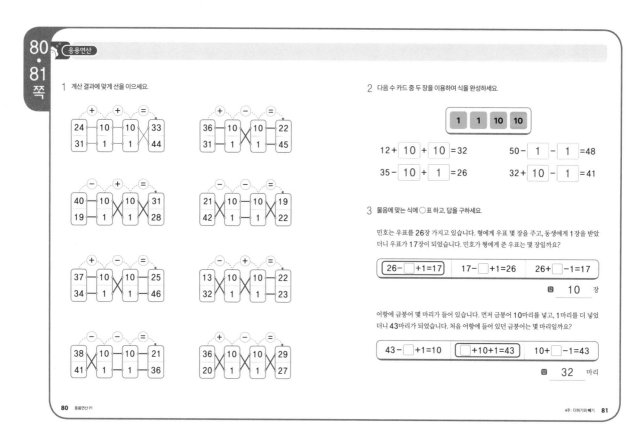

1 계산 결과에 맞게 선을 이으세요.

2 다음 수 카드 중 두 장을 이용하여 식을 완성하세요.

[1] [1] [10] [10]

$12 + \boxed{10} + \boxed{10} = 32$ $50 - \boxed{1} - \boxed{1} = 48$

$35 - \boxed{10} + \boxed{1} = 26$ $32 + \boxed{10} - \boxed{1} = 41$

3 물음에 맞는 식에 ◯표 하고, 답을 구하세요.

민호는 우표를 26장 가지고 있습니다. 형에게 우표 몇 장을 주고, 동생에게 1장을 받았더니 우표가 17장이 되었습니다. 민호가 형에게 준 우표는 몇 장일까요?

$\boxed{26 - \square + 1 = 17}$ $17 - \square + 1 = 26$ $26 + \square - 1 = 17$

답 10 장

어항에 금붕어 몇 마리가 들어 있습니다. 먼저 금붕어 10마리를 넣고, 1마리를 더 넣었더니 43마리가 되었습니다. 처음 어항에 들어 있던 금붕어는 몇 마리일까요?

$43 - \square + 1 = 10$ $\boxed{\square + 10 + 1 = 43}$ $10 + \square - 1 = 43$

답 32 마리

82·83 쪽

형성평가

1 왼쪽은 두 수의 합, 오른쪽은 두 수의 차입니다. 두 수를 찾아 모두 ○표 하세요.

2 다음을 보고, 물음에 답하세요.

> 빨간색 구슬 36개, 파란색 구슬 10개가 있습니다.

구슬은 모두 몇 개 있을까요?
식 $36+10=46$ 답 46 개

빨간색 구슬은 파란색 구슬보다 몇 개 더 많을까요?
식 $36-10=26$ 답 26 개

3 □ 안에 들어갈 수가 같은 것끼리 연결하세요.

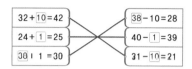

4 회전목마를 타러 24명이 놀이공원에 왔습니다. 먼저 1명이 회전목마를 타고, 잠시 후 10명이 탔습니다. 아직 회전목마를 타지 않은 사람은 몇 명일까요?

식 $24-1-10=13$ 답 13 명

5 ○안에 + 또는 −를 넣으세요.

$26 \boxed{-} 1 \boxed{+} 10 = 35$ $41 \boxed{-} 1 \boxed{-} 10 = 30$

$29 \boxed{+} 1 \boxed{+} 10 = 40$ $36 \boxed{+} 1 \boxed{-} 10 = 27$

84 쪽

6 계산 결과에 맞게 선을 이으세요.

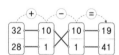

※ □를 사용한 식을 세우고 물음에 답해 봅시다.

7 쿠키가 37개 있습니다. 친구들과 함께 쿠키를 몇 개 먹었더니 27개 남았습니다. 친구들과 함께 먹은 쿠키는 몇 개일까요?

식 $37-\square=27$ 답 10 개

8 주차장에 있던 차 중에서 먼저 10대가 나가고, 잠시 후에 1대가 더 나갔더니 38대의 차가 남았습니다. 처음에 주차장에 있었던 차는 몇 대일까요?

식 $\square-10-1=38$ 답 49 대

"
Numbers rule the universe.
"

"수가 우주를 지배한다"

Pythagoras, 피타고라스